Planet Cake NIÑOS

680 ideas brillantes

Paris Cutler

con Anna Maria Roche

editorial juventud
Barcelona

INTRODUCCIÓN

¡Prepárate para la revolución de los pasteles! Ha llegado el momento de invitar a la nueva generación de superestrellas de la decoración de pasteles a que agarren un alisador de fondant y se pongan manos a la obra.

Para decorar pasteles no es necesario ser un experto, ni siquiera un gran pastelero: se trata de convertirte en un artista y utilizar tu imaginación para hacer asombrosas creaciones comestibles de azúcar para tu familia y tus amigos.

Todo lo que necesitas son algunas de las técnicas que se describen en este libro, unos cuantos utensilios sencillos y algo de fondant. Todas nuestras figuritas para pasteles han sido concebidas para que puedan ser elaboradas por niños a partir de ocho años, y no son necesarios utensilios sofisticados para hacerlo.

Las bases de los pasteles están pensadas para que las elaboren jóvenes o adultos de todos los niveles de competencia. Mi hija de ocho años, Estelle, está completamente obsesionada con hacer figuritas de fondant, y llevaba mucho tiempo pidiéndome que escribiera este libro.

Las figuritas de Estelle a menudo son mejores que las que hacen los adultos. Esto no se debe a que posea un talento innato, sino a que una vez aprendes unas cuantas técnicas simples para hacer figuritas, el único límite es tu imaginación, y puedes hacer que tus ideas cobren vida en tres dimensiones.

Como a la mayoría de la gente, a mí me encantaba hacer pasteles y dulces desde muy pequeña. Cuando presentaba mis delicias a unos adultos asombrados y agradecidos, mi autoestima subía como la espuma.

Este libro pretende iniciar a los niños en este maravilloso arte, una verdadera fuente de diversión, confianza en sí mismo, y posibilidades ilimitadas a todo aquel que se dedique a ello. Me gustaría animar a todos los adultos y niños que disfrutan aprendiendo y compartiendo nuevas habilidades, creando y pasando el tiempo todos juntos.

Para el resto de lectores, este libro es también un modo estupendo de aprender cómo hacer figuritas simples pero resultonas y fantásticos diseños de pasteles.

La idea principal de este libro es que los niños hagan las figuritas para los pasteles y los adultos se dediquen a hacer el pastel de base.

Los niños son extraordinariamente creativos, así que cuando empecé a escribir este libro tenía una pregunta muy importante en mente: ¿Qué figuritas para pasteles querrían diseñar y hacer los niños?

Decidí hacer un experimento. Eso implicó participar en un campamento escolar donde estuvimos en contacto con grupos muy numerosos de niños de 8 a 12 años. Me aguanté las ganas de dar ideas a los niños y decidí llevar conmigo todos nuestros colores de fondant, desde tonos pastel hasta colores primarios, y les di libertad para elegir los que quisieran. Luego hicimos una breve demostración sobre cómo unir una cabeza y un cuerpo con espagueti, y eso fue todo. Lo que sucedió fue muy interesante. Los niños no utilizaron ni un solo tono pastel: los colores que tuvieron más éxito, tanto entre los niños como entre las niñas, fueron el verde lima, el rosa fuerte, el naranja, el rojo y el negro.

Todos los niños hicieron unas figuritas maravillosas: entre los diseños que se repetían constantemente estaban las familias, las mascotas, la comida basura y monstruos de lo más disparatados, y fueron estas figuritas las que influyeron en los diseños del libro que tienes en tus manos.

También les ofrecí cuatro formas básicas de pastel para decorar que aparecen en este libro: y de nuevo tuve una gran sorpresa, pues casi todos, la mayor parte del tiempo, se dedicaron a decorar los lados del pastel en lugar de la parte de arriba.

Al final del día, Anna María, que es mi mano derecha, y yo, nos miramos: las dos estábamos agradablemente impresionadas. ¡Deberíamos haber dejado que los niños entraran en nuestra cocina mucho antes!

¡HOLA, CHICOS!

Mi hija Estelle tiene 8 años y a menudo trabaja en Planet Cake haciendo figuritas para pasteles. También trae a sus amigos, y a veces hay tantos niños jugando con el azúcar en nuestra tienda que decidí escribir este libro para que vosotros también podáis ser verdaderos artistas de los pasteles.

Ser un artista de los pasteles es uno de los mejores oficios que existen: puedes utilizar tu imaginación y crear tus propias figuritas para decorar pasteles. Puedes trabajar con otras personas creativas: otros niños, adultos, o incluso papá y mamá. Básicamente lo que haces es jugar todo el día modelando con azúcar diferentes personajes.

¿Todo esto te parece divertido? ¡Pues aún no te he contado lo mejor de todo! Después de hacer tus increíbles creaciones comestibles y colocarlas en un fantástico pastel, puedes regalar ese pastel a alguien que sea genial. Entregar a alguien un pastel mágico es una sensación muy especial. Te hace sentir orgulloso de ti mismo, y después de eso ¡estás impaciente por empezar el siguiente pastel!

Podría haber escrito este libro solo para niños, pero he incluido también a los adultos porque siempre es más divertido trabajar juntos en la elaboración de un pastel, y el pastel será mucho mejor que si lo trabajas solo. Los adultos necesitan la ayuda de los niños porque normalmente los niños tienen más imaginación: por eso sois vosotros los que deberíais encargaros de hacer las figuritas para el pastel. Sin embargo, hacer el pastel de base puede ser bastante complicado, y normalmente los adultos tienen más experiencia sobre hornear pasteles.

Es posible que haya algunos niños con mucho talento que quieran hacer tanto las figuritas como el pastel. Eso sería fantástico, pero recuerda que estos proyectos son mucho más divertidos si los compartes, pues al fin y al cabo, los pasteles sirven para hacer feliz a la gente.

CÓMO UTILIZAR ESTE LIBRO

CÓMO UTILIZAR ESTE LIBRO

Antes de empezar con la parte divertida: crear un hermoso pastel de base y decorarlo con figuritas hechas a mano, no es mala idea echar un vistazo a las técnicas básicas de decoración del capítulo 6, especialmente si eres nuevo en el arte de la decoración de pasteles.

Concretamente, en el apartado «LOS TRUCOS» (pág. 164) compartimos importantes secretos sobre la planificación y la preparación, para que todo te resulte mucho más sencillo.

Nuestra sección «UTENSILIOS» (pág. 168) te proporcionará una referencia fotográfica para equipar bien tu cocina, y también encontrarás un glosario (pág. 170) donde se definen algunos términos y objetos con los que quizás no estés demasiado familiarizado si eres nuevo en el mundo de los artistas de los pasteles.

También encontrarás algunas recetas estupendas para hacer tu propio fondant (pág. 174) y cubrir los fabulosos pasteles del capítulo 3 (pág. 24). Son los mismos pasteles que utilizamos en Planet Cake, así que podemos asegurarte que estas recetas funcionan: los pasteles son lo suficientemente firmes como para proporcionar una buena base para la decoración, y también se conservan muy bien.

Ahora ha llegado el momento de dar rienda suelta a tu creatividad. Echa un vistazo a este capítulo y verás tan solo algunas de las posibilidades para decorar diferentes diseños de pasteles con una amplia gama de familias de figuritas. Puedes mezclar y combinar la base de pastel que más te guste con tus figuritas preferidas y crear así un pastel para una persona concreta o una ocasión especial.

Comprueba qué combinaciones les gustan más a tu equipo creativo y luego ponte manos a la obra.

Una vez hayas echado un vistazo a algunas de estas estupendas técnicas para conseguir fantásticos efectos con el fondant (pág. 178), habrá llegado el momento de que los niños se conviertan en artistas de los pasteles y hagan algunas figuritas del capítulo «LAS FIGURITAS» (pág. 90 en adelante). Estas figuritas requieren algún tiempo para secarse, así que es una buena idea poner a trabajar a los niños mucho antes de que llegue el momento de realizar la decoración final del pastel.

El paso siguiente es cortar y dar forma al pastel de tu elección que hayas horneado, siguiendo las instrucciones del capítulo 3 (pág. 28 en adelante), antes de ensamblar tu obra maestra de mezclas y combinaciones utilizando uno de los divertidos diseños que aparecen en el capítulo 4. En cada diseño de pastel encontrarás una lista de los materiales y utensilios necesarios, así como todos los pasos que debes realizar para confeccionarlo.

Tranquilo, no es tan complicado como parece: una vez hayas pillado el truco y veas tu pastel acabado en todo su esplendor, verás que el proceso es enormemente gratificante.

Seguramente no lo necesites, pero el libro también incluye una breve sección de «SOLUCIÓN DE PROBLEMAS» al final del libro (pág. 184), por si tienes algún pequeño percance. Y ahora... ¡empieza la diversión!

MEZCLAR Y COMBINAR... HAZ TU PROPIO DISEÑO

Es importante que primero elijas las figuritas, puesto que serán el centro de atención de tu pastel, y luego el diseño del pastel, ya que en realidad será el «escenario» de las figuritas.

Las figuritas de este libro se basan en diferentes «familias» de criaturas, pero te animo a que las mezcles (resulta divertido ver a un monstruo acompañado de un perro, o a un dragón con un superhéroe).

Lo mejor de las figuritas para pasteles es que no existen limitaciones. Una vez hayas aprendido que no hay nada más que espaguetis secos y fondant, verás que las posibilidades de diseño son realmente ilimitadas, así que mezcla con toda libertad diseños y personajes. También puedes improvisar a partir de estos diseños.

PLAYA

- LOS PULPOS HIPHOPEROS
- LAS LANGOSTAS SOCORRISTAS
- LA FAMILIA DE SUPERHÉROES
- LOS PINGÜINOS SURFISTAS
- LOS PERROS DEPORTISTAS

LIBRO DE MAGIA
LA FAMILIA DE SUPERHÉROES
LOS BEBÉS DRAGÓN
LAS RATAS COCINERAS
LOS TROCITOS DEL SEÑOR AZÚCAR

PASTEL DE DIBUS
LAS RATAS COCINERAS
DONUT Y COMPAÑÍA
LOS OSOS DE PELUCHE
LA FAMILIA DE SUPERHÉROES
LOS BEBÉS ANGELITOS
PIGGY Y PEPPER

CACEROLA
LAS RATAS COCINERAS
LAS LANGOSTAS SOCORRISTAS
LOS BEBÉS DRAGÓN
LA FAMILIA DE SUPERHÉROES
LOS PULPOS HIPHOPEROS
LOS CONEJOS NINJA

NUBES DE ALGODÓN DE AZÚCAR
LOS OSOS DE PELUCHE
PIGGY Y PEPPER
LOS PERROS DEPORTISTAS
LOS BEBÉS ANGELITOS
DONUT Y COMPAÑÍA
LOS PINGÜINOS SURFISTAS
LOS BEBÉS DRAGÓN

EL GRAN ESCENARIO
TODOS EXCEPTO LOS TROCITOS DEL SEÑOR AZÚCAR
HAPPY
BIRTHDAY

VIDEOJUEGO
LOS VIDEONUTS
LOS STOMPERS
LOS PINGÜINOS SURFISTAS

RING DE ARTES MARCIALES
LOS CONEJOS NINJA
LOS PULPOS HIPHOPEROS
LOS PERROS DEPORTISTAS
LOS STOMPERS
LA FAMILIA DE SUPERHÉROES

EL HOMBRE EN LA LUNA
LAS LANGOSTAS SOCORRISTAS
PIGGY Y PEPPER
LA FAMILIA DE SUPERHÉROES
LOS CONEJOS NINJA

CEMENTERIO
LOS TROCITOS DEL SEÑOR AZÚCAR
LOS STOMPERS
LOS VIDEONUTS

PARED DE GRAFITI
LA FAMILIA DE SUPERHÉROES
LOS VIDEONUTS
LOS STOMPERS
LOS BEBÉS DRAGÓN
LAS LANGOSTAS SOCORRISTAS
LOS PULPOS HIPHOPEROS

CAPA DE NIEVE
TODAS LAS FIGURITAS

TODO SOBRE
LOS PASTELES

LAS RECETAS

Pastel de mantequilla y vainilla

Preparación: 15 minutos
Cocción: 50 minutos más el proceso de enfriado
Para un pastel redondo de 22 cm o un pastel cuadrado de 20 cm

250 g de harina leudante
75 g de harina normal
220 g de azúcar refinada
185 g de mantequilla sin sal, ablandada
4 huevos a temperatura ambiente
125 ml de leche
1 cucharadita de esencia de vainilla

1. Precalienta el horno a 180 °C. Engrasa el molde para pasteles y cubre la base y las paredes con papel de hornear.
2. Tamiza las harinas en un recipiente grande. Añade el azúcar, la mantequilla, los huevos, la leche y la vainilla. Con la ayuda de la batidora eléctrica, bate todo a baja velocidad hasta que esté bien mezclado. A continuación, aumenta la velocidad a nivel medio y bate la mezcla durante 2 o 3 minutos, o hasta que sea homogénea y de color claro.
3. Vierte la mezcla en el molde y luego alisa la superficie con el dorso de una cuchara. Hornea el pastel colocándolo en el nivel central del horno durante 45-50 minutos, o hasta que al introducir un pincho en el centro del pastel salga limpio.
4. Deja el pastel en el molde unos 5 minutos, luego pásalo a una rejilla para que se enfríe por completo.

CONSERVACIÓN

Este pastel se conserva bien en un recipiente hermético durante 3 días, y hasta 2 meses congelado sin decoración. Envuélvelo bien en film transparente, luego colócalo en una bolsa para congelar y ciérrala bien. Es una buena idea escribir la fecha en la bolsa.

VARIANTE

Para elaborar un pastel marmolado, divide la mezcla del pastel en tres recipientes. Tiñe la mezcla de uno de los recipientes con unas gotas de colorante alimentario rosa, y otro de los recipientes con dos cucharadas de cacao en polvo sin azúcar. No añadas nada al tercer recipiente. A continuación, vierte cucharadas de cada mezcla en el molde preparado, luego utiliza un pincho para hacer remolinos con las mezclas. Luego hornéalo siguiendo las instrucciones anteriores.

Pastel de chocolate de cobertura

Preparación: 20 minutos
Cocción: 1 hora y 55 minutos más el proceso de enfriado
Para un pastel redondo de 22 cm o un pastel cuadrado de 20 cm

225 g de mantequilla
225 g de chocolate negro, troceado
480 g de azúcar refinada
15 g de café granulado
3 huevos, ligeramente batidos
150 g de harina leudante tamizada
150 g de harina normal tamizada
40 g de cacao en polvo sin azúcar

1. Precalienta el horno a 160 °C. Engrasa el molde y cubre la base y las paredes con papel de hornear.
2. Mezcla la mantequilla, el chocolate, el azúcar y el café en una cacerola grande con 250 ml de agua caliente y remuévelo todo a fuego lento hasta obtener una mezcla homogénea. Pásalo a un recipiente grande y déjalo enfriar durante 15 minutos.
3. Bate los huevos con la mezcla de chocolate. Incorpora las harinas tamizadas y el cacao hasta conseguir una mezcla homogénea.
4. Vierte la mezcla en el molde y hornéalo durante 1 hora y 45 minutos, o hasta que al introducir un pincho en el centro del pastel salga limpio, aunque puede estar un poco pegajoso. Si la superficie del pastel parece cruda, hornéalo durante 5 o 10 minutos más, y luego sácalo del horno.
5. Deja el pastel en el molde unos 5 minutos, luego pásalo a una rejilla para que se enfríe por completo.

CONSERVACIÓN

Este pastel se puede conservar en el refrigerador en un recipiente hermético durante 3 semanas, en un lugar fresco y seco durante 1 semana, y hasta 2 meses congelado sin decoración. Envuélvelo bien en film transparente, luego colócalo en una bolsa para congelar y ciérrala bien. Es una buena idea escribir la fecha en la bolsa.

Pastel Red velvet

Preparación: 20 minutos
Cocción: 50 minutos más el proceso de enfriado
Para un pastel redondo de 22 cm o un pastel cuadrado de 20 cm

185 g de mantequilla sin sal, ablandada
275 g de azúcar refinada
3 huevos
300 g de harina leudante
55 g de cacao en polvo sin azúcar
1 cucharadita de bicarbonato de sodio
250 ml de suero de leche
2 cucharaditas de vinagre blanco
2 cucharaditas de colorante alimentario líquido rojo

1. Precalienta el horno a 180 °C. Engrasa el molde y cubre la base y las paredes con papel de hornear.
2. Bate la mantequilla y el azúcar en un recipiente pequeño con la batidora eléctrica hasta que la mezcla quede ligera y esponjosa. Incorpora los huevos uno por uno, batiéndolos cuidadosamente después de añadirlos. Pásalo todo a un recipiente más grande.
3. Tamiza la harina, el cacao y el bicarbonato en un recipiente. Mezcla el suero de leche, el vinagre y el colorante alimentario. Con la ayuda de una cuchara larga de metal, incorpora la mezcla de harina a la mezcla de mantequilla, alternando con la mezcla de suero de leche. Revuelve todo bien hasta que esté homogéneo.
4. Vierte la mezcla en el molde y alisa la superficie con el dorso de una cuchara. Hornea durante 45-50 minutos o hasta que al introducir un pincho en el centro del pastel salga limpio.
5. Deja el pastel en el molde unos 10 minutos, luego pásalo a una rejilla para que se enfríe por completo.

CONSERVACIÓN

Este pastel se puede conservar en el refrigerador en un recipiente hermético durante 3 días, y hasta 2 meses congelado sin decoración. Envuélvelo bien en film transparente, luego colócalo en una bolsa para congelar y ciérrala bien. Es una buena idea escribir la fecha en la bolsa.

Pastel de plátano vegano (sin lácteos ni huevos)

Este pastel puede hundirse ligeramente durante el horneado debido a su densidad. Puedes rellenar este ligero bache con ganache o crema de mantequilla cuando recubras el pastel.

Preparación: 20 minutos
Cocción: 1 hora más el proceso de enfriado
Para un pastel redondo de 22 cm o un pastel cuadrado de 20 cm

185 g de margarina vegana
220 g de azúcar moreno
1 cucharadita de esencia de vainilla
360 g de plátano hecho puré (unos 3 plátanos grandes)
45 g de coco rallado
300 g de harina leudante tamizada
1 cucharadita de bicarbonato de sodio (polvo de hornear)
1 cucharadita de mezcla de especias (mezcla conocida como *all spice*)
1 cucharadita de canela molida

1. Precalienta el horno a 180 °C. Engrasa el molde y cubre la base y las paredes con papel de hornear.
2. Bate la margarina vegana con el azúcar y la vainilla en un recipiente pequeño utilizando la batidora eléctrica durante 3 o 4 minutos, o hasta que la mezcla esté ligera y esponjosa. Pásalo todo a un recipiente más grande.
3. Incorpora el puré de plátano y el coco rallado con una cuchara grande de metal, y luego agrega la harina tamizada, el bicarbonato de sodio y las especias. Remueve hasta que esté mezclado y casi homogéneo.
4. Vierte la mezcla en el molde y alisa la superficie con el dorso de una cuchara. Hornéalo durante 1 hora, o hasta que al introducir un pincho en el centro del pastel salga limpio.
5. Deja el pastel en el molde unos 10 minutos, luego pásalo a una rejilla para que se enfríe por completo.

VARIANTE

Para hacer un pastel de plátano no vegano, sustituye la crema de untar vegana por margarina, y bate 3 huevos junto a la mezcla de mantequilla cremosa y azúcar. Suprime el coco rallado y añade 35 g más de harina. Hornéalo siguiendo las instrucciones anteriores.

CONSERVACIÓN

Este pastel se puede conservar en el refrigerador en un recipiente hermético durante 4 días, y hasta 2 meses congelado sin decoración. Envuélvelo bien en film transparente, luego colócalo en una bolsa para congelar y ciérrala bien. Es una buena idea escribir la fecha en la bolsa.

Pastel de mantequilla sin gluten

Este pastel puede hundirse ligeramente durante el horneado debido a que no tiene gluten. Puedes rellenar este ligero bache con ganache o crema de mantequilla cuando recubras el pastel.

Preparación: 15 minutos
Cocción: 50 minutos más el proceso de enfriado
Para un pastel redondo de 22 cm o un pastel cuadrado de 20 cm

250 g de harina leudante sin gluten
220 g de azúcar refinada
185 g de mantequilla sin sal, ablandada
80 ml de leche
4 huevos a temperatura ambiente
1 cucharadita de esencia de vainilla

1 Precalienta el horno a 180 °C. Engrasa el molde y cubre la base y las paredes con papel de hornear.

2 Tamiza la harina junto con 55 g de azúcar en un recipiente hondo. Bate la mantequilla en un recipiente pequeño con la batidora eléctrica durante 4 o 5 minutos, o hasta que la mezcla se vuelva blanca y cremosa. Incorpora gradualmente la mezcla de harina y azúcar y la leche hasta que estén bien mezcladas. Pásalo todo a un recipiente más grande.

3 Con la ayuda de una mezcladora eléctrica con varillas, bate los huevos, la vainilla y el azúcar restante en un recipiente durante unos 5 o 6 minutos, o hasta que la mezcla resulte blanca y espesa y haya triplicado su volumen. Incorpora la mitad de la mezcla de huevos a la mezcla de harina con la ayuda de una espátula o de una cuchara larga de metal. Agrega la mezcla de huevos restante hasta que se hayan mezclado bien todos los ingredientes.

4 Vierte la mezcla en el molde y alisa la superficie con el dorso de una cuchara. Hornea el pastel en la repisa central del horno durante unos 40-50 minutos, o hasta que al introducir un pincho en el centro del pastel salga limpio.

5 Deja el pastel en el molde unos 10 minutos, luego pásalo a una rejilla para que se enfríe por completo.

CONSERVACIÓN

Este pastel se puede conservar en el refrigerador en un recipiente hermético durante 3 días, y hasta 2 meses congelado sin decoración. Envuélvelo bien en film transparente, luego colócalo en una bolsa para congelar y ciérrala bien. Es una buena idea escribir la fecha en la bolsa.

Cómo extender la ganache

La ganache de chocolate (una mezcla de nata y chocolate fundido) no solo hará que tus pasteles tengan mejor sabor y se mantengan frescos, sino que también te proporcionarán una superficie perfecta sobre la que añadir el fondant. En Planet Cake usamos la ganache como una especie de «masilla» comestible para rellenar todas las grietas y los agujeros que aparecen en el pastel y para crear una superficie uniforme.

Una vez que la ganache se ha endurecido y está perfectamente homogénea, ofrece una superficie firme y perfecta para cubrir el pastel con una fina capa de fondant (en lugar del fondant grueso e incomible que utilizan algunos decoradores para ocultar las imperfecciones del pastel).

Sigue la receta para la elaboración de la ganache (pág. 174) y deja que se asiente durante toda la noche.

Si la ganache está demasiado dura cuando vayas a utilizarla, caliéntala en el microondas a media potencia (50 %) y a intervalos cortos hasta que alcance una consistencia similar a la manteca de cacahuete suave. Si no dispones de microondas, vierte la ganache en una cacerola y caliéntala a fuego lento, removiendo bien y asegurándote de no quemarla.

Como alternativa, puedes utilizar una capa de crema de mantequilla (págs. 176-177) debajo del fondant, pero no quedará tan firme como la ganache y, por tanto, no te proporcionará el mismo acabado perfecto.

Extender la ganache en un pastel redondo

1 Cortar horizontalmente el pastel formando tres capas uniformes

Recorta la parte abovedada del pastel para dejarlo plano. Coloca el pastel sobre un plato giratorio y coloca una mano encima (nunca sobre el lateral, ya que el cuchillo podría resbalar). Con la otra mano coge un cuchillo de sierra y asegúrate de mantener siempre el cuchillo en el mismo nivel horizontal.

Marca las líneas de corte en el pastel con una señal en el lateral; cada capa debería tener unos 2,5 cm de grosor.

Gira el pastel y corta hacia el centro con un movimiento de sierra y a mayor profundidad en cada giro. Sigue girando y cortando cada vez más profundamente, asegurándote de mantener siempre el cuchillo en el mismo nivel horizontal. Repite este paso para cortar otra capa.

Consejo: Si el pastel se agrieta o se desnivela en la parte superior, intercambia la capa central por la capa superior para que quede oculta dentro del pastel.

2 Aplicar sirope con un pincel

Para el siguiente paso necesitarás un poco de sirope (pág. 176). Coloca las tres capas del pastel sobre la superficie de trabajo y aplica bien el sirope (foto 2) con un pincel.

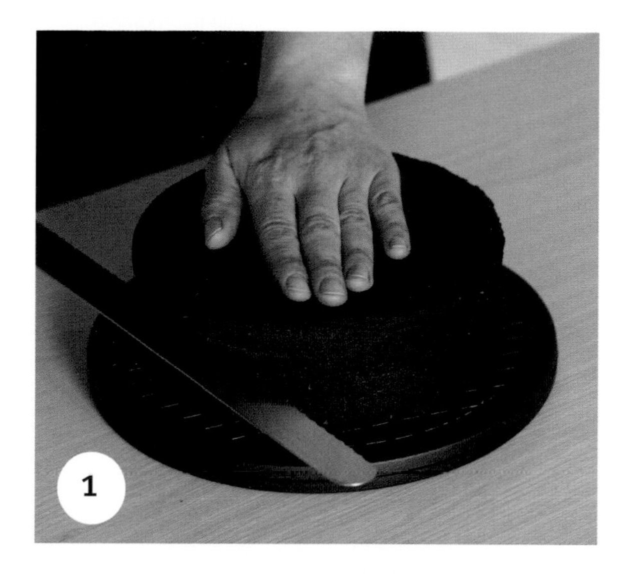

3 Rellenar el pastel con la ganache

Utiliza una espátula para extender un poco de ganache sobre una base del mismo tamaño que el pastel (por ejemplo, un pastel de 20 cm debería colocarse sobre una base de 20 cm). A esta base la llamamos base de montaje o base de colocación.

Coloca la capa inferior sobre la base de colocación. Extiende la ganache sobre la capa inferior hasta que tenga un grosor de 1 cm, luego coloca la siguiente capa encima. No extiendas ganache encima del pastel en este momento.

Consejo: Es muy importante contar con una base de montaje o de colocación cuando extiendes la ganache, puesto que te permite aplicar una buena cantidad y te sirve como guía para medir el relleno. Los pasteles se encogen durante el proceso de horneado y si se colocan sobre una base del mismo tamaño vemos qué cantidad de ganache podemos aplicar para darle al pastel el tamaño adecuado de nuevo.

4 Aplicar la ganache a los laterales

Coloca la base de montaje sobre la base de presentación, luego colócala de nuevo sobre el plato giratorio. Con una espátula, extiende la ganache por los laterales del pastel hasta el borde de la base de montaje. No recubras aún la superficie del pastel con ganache.

5 Retirar la ganache sobrante

Coloca una mano sobre la parte superior del pastel y, girando lentamente, pasa una rasqueta de plástico por todo el lateral. Mantén la rasqueta recta en el borde de la base de montaje y mediante el plato giratorio, sigue girando hasta que el pastel presente un borde completamente vertical y sin huecos (foto 4, pág. 30).

Consejo: Tu objetivo es rellenar los laterales del pastel hasta el borde de la base de montaje. Esto puede llevarte algún tiempo y puede que necesites más ganache del previsto. Asegúrate de mantener un ángulo recto perfecto, pues si hay demasiado relleno, sobresaldrá un bulto en el pastel. De igual manera, si no tienes suficiente ganache y el lateral no está liso, aparecerán algunas arrugas.

6 Aplicar la ganache en la parte superior

Utiliza una espátula pequeña para extender hacia el centro el exceso de ganache de los bordes, e iguala la parte superior (foto 5). Añade más ganache si es necesario.

Deja que se asiente (a ser posible, durante la noche) o congélalo 10 minutos como máximo.

7 Pasar una espátula caliente

Para conseguir un resultado perfecto, necesitarás una jarra de agua hirviendo y una espátula para pasarla por encima del pastel con el fin de asegurarte de que el borde queda perfecto.

Coge una espátula grande y sumérgela durante unos segundos en agua caliente. También puedes utilizar el lomo de un cuchillo de pan, donde no está dentado.

Sujeta la espátula por los dos extremos y deslízala sobre la superficie del pastel, asegurándote de aplicar la misma presión a lo largo. Si la ganache es irregular, aplica más para nivelar el pastel.

Pasa la rasqueta de plástico una vez más alrededor del lateral del pastel. Deja que se asiente de nuevo y cuando la ganache esté dura, utiliza un cuchillo caliente para recortar el reborde que haya quedado en la parte superior (foto 6).

Limpia la base de presentación y deja reposar encima el pastel hasta que la ganache se haya endurecido (a ser posible, durante toda la noche) antes de cubrirlo.

Extender ganache en un pastel cuadrado

Siguc las mismas instrucciones que para el pastel redondo hasta el final del paso 3. El mismo método sirve para los rectangulares.

1 Aplicar y alisar la ganache
Coloca la base de montaje sobre la base de presentación. Con una espátula, aplica una capa gruesa de ganache en los laterales (de unos 2 cm) hasta cubrirlos. Elimina el exceso con una rasqueta y añade más hasta obtener unos bordes muy afilados. Alisa (foto 1) y deja que se asiente hasta que esté firme al tacto (1 o 2 horas). Aplica la ganache en la parte superior, alisa y deja que se asiente (a ser posible, durante toda la noche).

2 Pasar una espátula caliente
Pásala por encima de la ganache, comenzando por un lateral y luego por la superficie aplicando la misma presión en toda la espátula (foto 2), eliminando cualquier exceso de ganache.
Vuelve a pasar por los laterales. Las esquinas tienen que quedar siempre definidas.

Glasear un pastel con crema de mantequilla

1 Preparar el pastel
Recorta la parte superior con un cuchillo de sierra para que quede liso. Coloca el pastel en una base o plato. Coloca tiras de papel de hornear debajo del pastel antes de empezar con el glaseado.

2 Sellar las migas del pastel
Extiende una capa fina de crema de mantequilla sobre el pastel para sellar las migas.

Deja enfriar el pastel 30 minutos y, luego, aplica la capa final de crema de mantequilla. Esta capa impedirá que las migas atraviesen la capa de glaseado.

3 Glaseado
Con la espátula amontona el glaseado en la parte superior del pastel. Luego baja el glaseado hacia los laterales del pastel. Puedes darle una textura más rugosa o más lisa, como prefieras. Retira con cuidado las tiras de papel de hornear.

4 Conservación
Si has cubierto el pastel con crema de mantequilla y vainilla (pág. 177), puedes conservarlo a temperatura ambiente (no superior a 20 °C) durante 2 días.

Si has utilizado la crema de mantequilla italiana (pág. 176), puedes guardar el pastel en el frigorífico durante 2 o 3 días.
Si no tienes una caja para guardar pasteles, puedes dar la vuelta a un recipiente grande para cubrirlo con él, o bien puedes construir tu mismo una «tienda de campaña» de papel de aluminio para cubrir el pastel.

Si quieres cubrir un pastel glaseado con film transparente, antes deberás clavar palillos por toda la superficie del pastel a la misma altura. De este modo, el film transparente descansará sobre las puntas de los palillos en lugar de pegarse al glaseado.

Cubrir un pastel redondo con fondant

Asegúrate de que tu pastel tiene una ganache uniforme y asentada antes de cubrirlo con fondant. Cuanto mejor esté la ganache, mejor será el resultado final. Los pasteles redondos son los más fáciles de cubrir.

1 Preparar el pastel y el fondant
Limpia y seca la superficie de trabajo. Mide el pastel (laterales y superficie superior). Con un pincel, cubre todo el pastel con un poco de sirope (pág. 176); esto ayudará a que el fondant se pegue al pastel (foto 1).

Coloca el pastel, sin retirarlo de la base de presentación, sobre una base de goma antideslizante o un trapo de cocina húmedo para que no resbale mientras trabajas con él.

Amasa el fondant (y tíñelo si es necesario, siguiendo las instrucciones de las páginas 178-179) hasta conseguir una pasta suave y maleable. Mientras amasas puedes utilizar una pizca de harina de maíz (maicena) si la masa se pega a la superficie de trabajo.

Consejo: Amasar el fondant no es como amasar un pastel. Si lo golpeas con los puños, se quedará pegado a la base y se volverá imposible de manejar. Manipula el fondant como si se tratara de plastilina: trabájalo con las manos hasta que quede suave y maleable, pero que no se pegue a la superficie de trabajo.

2 Aplastar y extender el fondant
Cuando el fondant esté suave, aplasta la bola de fondant con la palma de la mano hasta que tenga unos 4 cm (foto 2).

Espolvorea la superficie de trabajo con un poco de harina de maíz. Extiende el fondant con un rodillo de amasar, comenzando desde el centro y extendiéndolo unas seis veces en una misma dirección.

Da la vuelta al fondant y repite el proceso. Si tu superficie de trabajo se vuelve pegajosa, espolvoréala con una pizca más de harina de maíz, pero nunca la espolvorees por encima del fondant.

Sigue estirando y girando el fondant hasta que tenga unos 3-5 mm de grosor. El fondant tiene que ser más grande que las dimensiones totales del pastel.

Consejo: Si das la vuelta al fondant te asegurarás de que siempre mantenga una forma cuadrada, lo cual hará que resulte mucho más sencillo cubrir un pastel, tanto si es redondo o cuadrado.

3 Colocar el fondant sobre el pastel
Enrolla el fondant en el rodillo. Utiliza un pincel de repostería para eliminar posibles restos de harina de maíz (esto es especialmente importante si utilizas fondant de color oscuro).

Levanta el rodillo con el fondant enrollado en él y extiéndelo sobre el pastel, comenzando desde la base del mismo (foto 3).

4 Ajustar los bordes

Pasa rápidamente la mano sobre la superficie del pastel para asegurarte de que no quedan burbujas de aire.

Ajusta los bordes pasando la palma de la mano sobre el borde superior y los laterales del pastel (foto 4).

5 Alisar el fondant

Presiona suavemente el fondant en los laterales, y ve trabajando lentamente los laterales del pastel. Aleja delicadamente el fondant de la base del pastel, antes de alisarlo hacia abajo (foto 5, pág. 34).

6 Utilizar alisadores de fondant

Una vez que hayas cubierto todo el pastel, aprieta suavemente el fondant hacia los laterales y la base del pastel utilizando alisadores, para conseguir un borde afilado (foto 6, pág. 34).

7 Recortar el fondant

Recorta el fondant alrededor de la base con un cuchillo o con un cortador de pizza (foto 7, pág. 34).

Consejo: No recortes el fondant demasiado cerca de la base del pastel, ya que suele

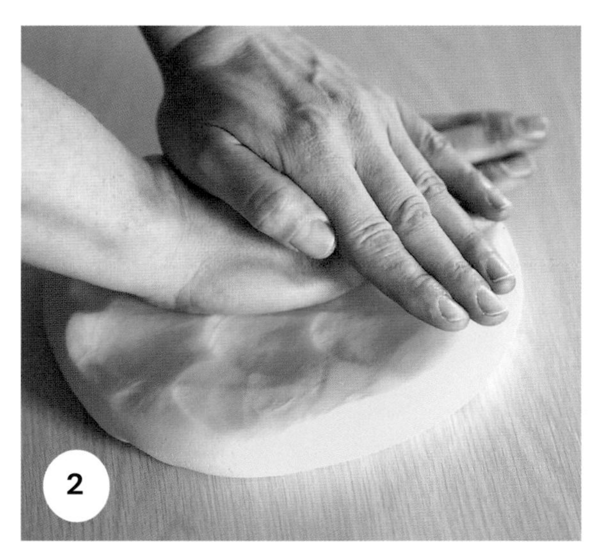

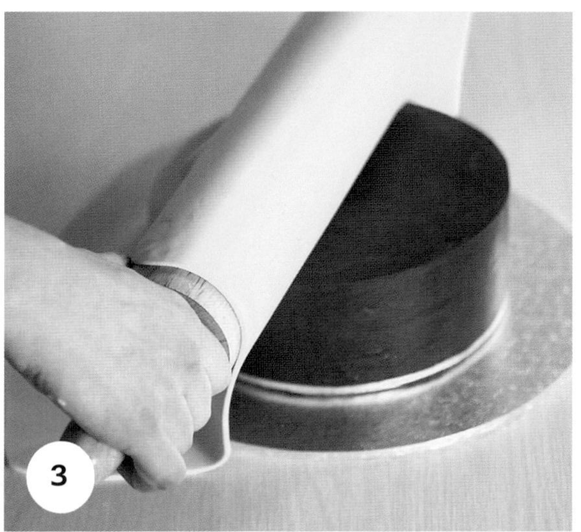

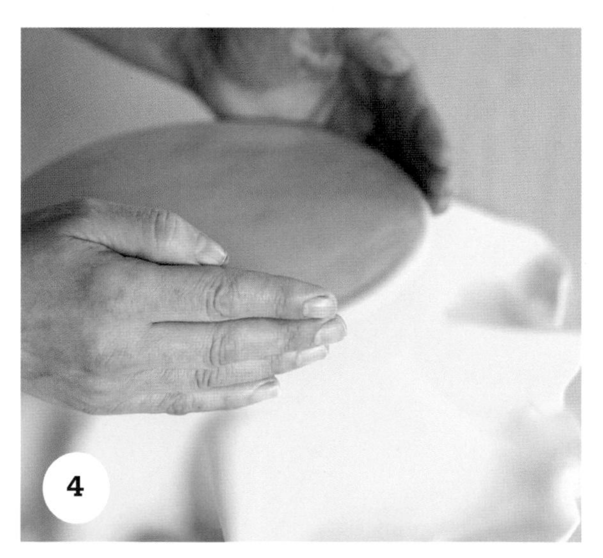

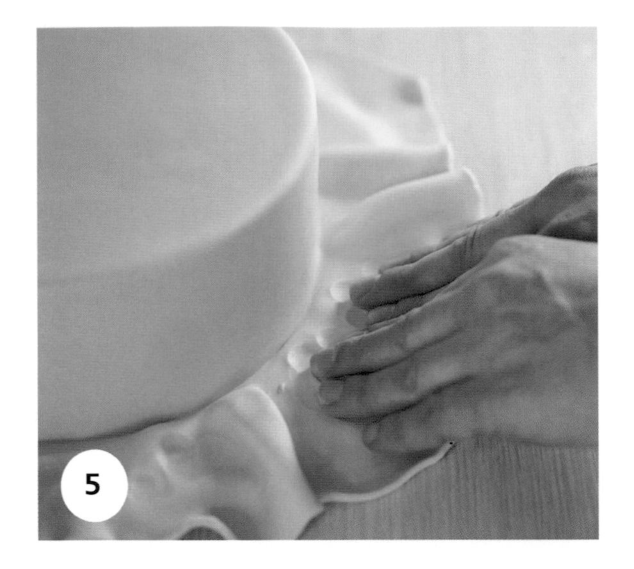

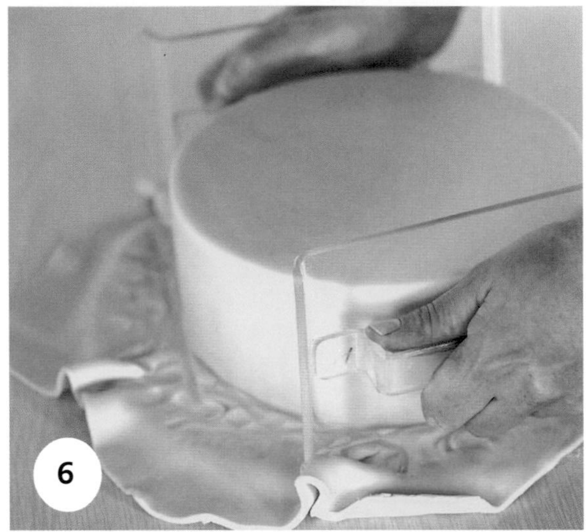

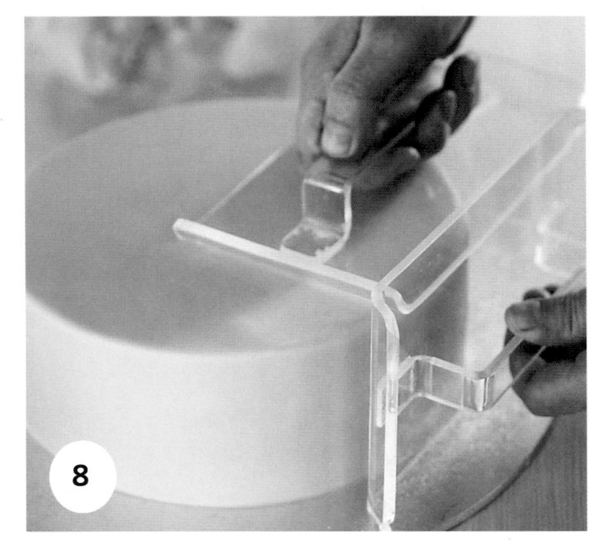

encogerse y podría quedar corto. Si te sucede esto, ajusta tu diseño y oculta el hueco colocando un rulo o una «cuerda» fina de fondant sobrante alrededor de la base del pastel.

8 Utilizar los alisadores

Pasa los alisadores por el lateral del pastel. Yo utilizo dos alisadores para realizar esta tarea; el que sujeto con la mano izquierda lo desplazo de atrás hacia delante, y el que sujeto con la mano derecha lo presiono contra el pastel para crear un borde afilado.

A continuación, sujeta un alisador sobre el lateral del pastel y el otro sobre la superficie de arriba. Aplicando la misma presión sobre ambos, apriétalos a la vez y desplázalos por el lateral para crear un borde afilado (foto 8).

Desliza la mano por encima del pastel y si encuentras alguna burbuja de aire, pínchala con un alfiler pequeño y saca poco a poco el aire con los dedos secos (pág. 185).

Pasa de nuevo el alisador o el raspador flexible sobre el pastel para pulir y abrillantar el fondant.

Cubrir un pastel cuadrado con fondant

Sigue las mismas instrucciones que se aplican para cubrir un pastel redondo en la página 32 hasta el final del paso 3. Una vez hayas colocado el fondant sobre el pastel, ajusta las esquinas inmediatamente tal como se muestra a continuación.

1 Ajustar las esquinas

Trabaja los dos lados de cada esquina desplazando hacia abajo ambas manos sobre cada esquina y apretando el fondant sobre el pastel (foto 1).

2 Apretar el fondant hacia abajo

Aprieta el fondant de las esquinas hacia abajo, y desplaza los dedos en dirección ascendente y descendente sobre las esquinas (foto 2).

3 Estirar y alisar los laterales

Estira suavemente el fondant por los laterales con una mano y alísalo con la otra. A continuación, vuelve a repasarlo con las manos hacia arriba para evitar que el fondant se rasgue o se agriete. Recorta el fondant alrededor de la base utilizando un cuchillo pequeño o un cortador de pizza.

4 Alisar el fondant

Desplaza tu alisador alrededor del pastel. Utiliza dos raspadores flexibles y desplázalos por los lados hasta que se encuentren en una esquina para conseguir un borde afilado (foto 3).

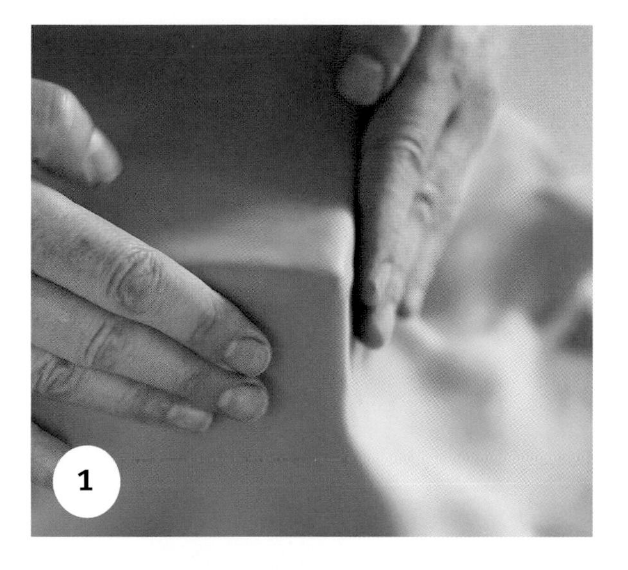

1

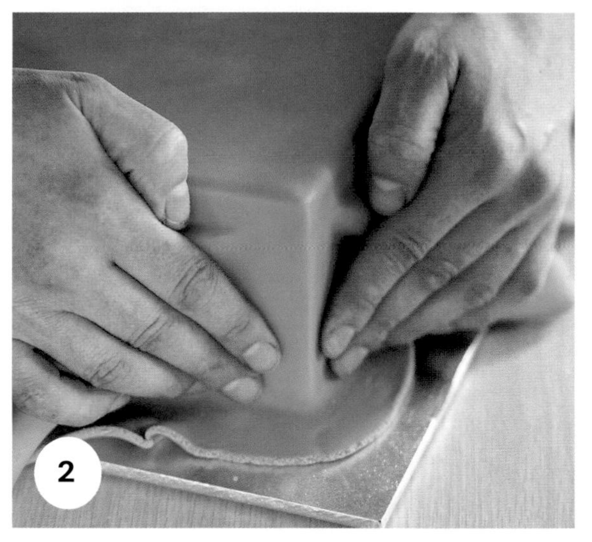

2

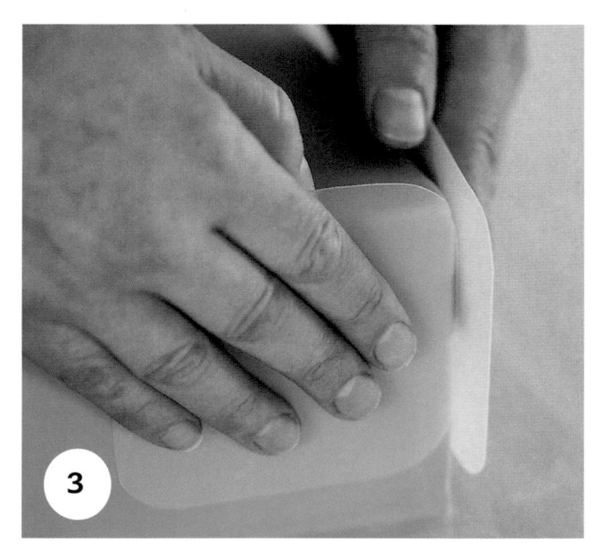

3

Cubrir de ganache un pastel en forma de pared

Utilizaremos un pastel cuadrado de 20 cm.

1 Construir la pared

Construye una base de montaje o de colocación cortando una base normal de 20 cm por la mitad.

Sigue las instrucciones de la página 28 para cortar el pastel en tres capas horizontales .

Aplica con un pincel una buena capa de sirope sobre cada capa de pastel. Extiende la ganache sobre una de las capas del pastel hasta 1 cm de grosor, luego añade la siguiente capa de pastel encima. Cubre esta segunda capa con más ganache y luego cúbrela con la tercera capa.

Corta el pastel por la mitad (foto 1) para obtener dos pasteles de 10 x 20 cm cada uno. Coloca una mitad en la base de montaje, cubre la superficie con ganache y coloca la otra mitad encima.

2 Extender la ganache

Coloca la base de montaje sobre una base de presentación y, a continuación, colócala sobre un plato giratorio. Extiende la ganache con una espátula sobre la parte superior y los laterales del pastel para sellar las migas.

3 Alisar los laterales y la parte superior

Desliza suavemente una rasqueta de 90º sobre los laterales, sujetándola recta sobre la base, mientras giras lentamente el plato giratorio.

Utiliza una espátula pequeña para extender el exceso de ganache de los laterales hacia los bordes. Alisa la parte superior y añade más ganache si es necesario. Deja que la ganache se asiente durante unas horas.

4 Pasar una espátula caliente

Sumerge una espátula grande unos segundos en agua caliente. Puedes utilizar el lomo de un cuchillo de pan.

Sujeta la espátula por los dos extremos y deslízala sobre el pastel, asegurándote de aplicar la misma presión (foto 2).

Si la ganache es irregular, aplica más ganache para nivelar el pastel. Pasa la rasqueta de plástico una vez más alrededor de los lados del pastel. Deja que se asiente de nuevo la ganache.

5 Recortar la parte sobrante

Corta la parte sobrante del borde superior. Limpia la base de presentación y coloca encima el pastel. Deja que la ganache se endurezca (a ser posible, durante toda la noche) antes de decorarlo.

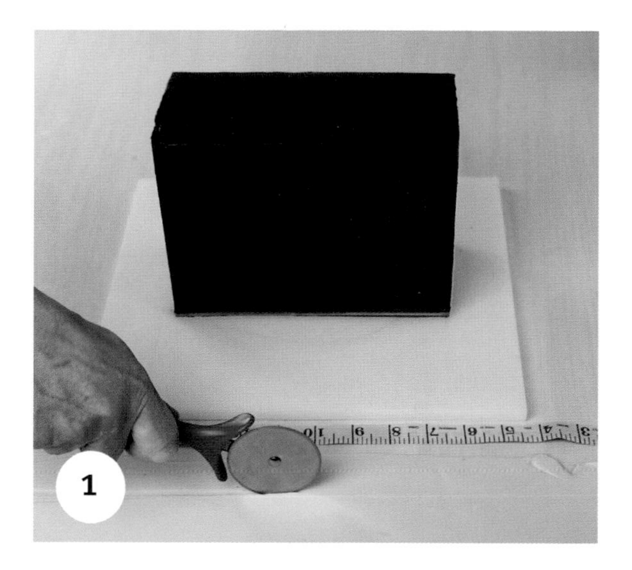

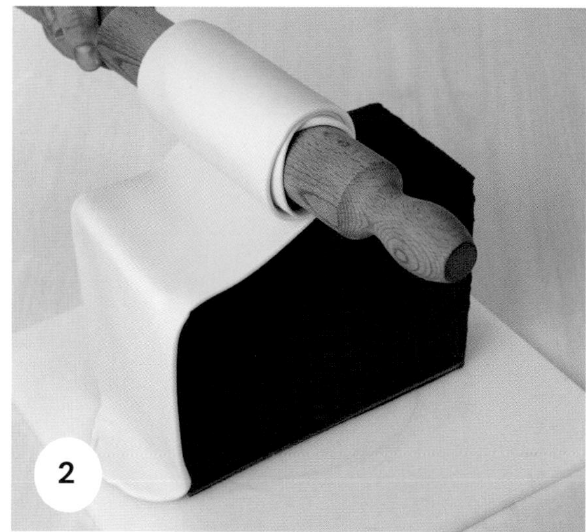

Cubrir un pastel de pared con fondant

Asegúrate de que tu pastel tiene una ganache uniforme, lisa y asentada antes de cubrirlo con fondant. Cuanto mejor esté aplicada la ganache, mejor será el resultado final.

1 Preparar el pastel y el fondant

Limpia la superficie de trabajo y asegúrate de que está seca. Mide el pastel (tanto los lados como la superficie superior). Utilizando un pincel, cubre todo el pastel con un poco de sirope (pág. 176); esto ayudará a que el fondant se pegue al pastel.

Coloca la base de presentación sobre una base de goma antideslizante o sobre un trapo de cocina húmedo para que no resbale mientras estás trabajando con él.

Amasa el fondant (y tíñelo si es necesario, siguiendo las instrucciones de las páginas 178-179) hasta conseguir una pasta suave y maleable. Mientras amasas puedes utilizar una pizca de harina de maíz (maicena) si la masa se pegara a la superficie de trabajo.

Consejo: Amasar el fondant no es como amasar un pastel. Si lo golpeas con los puños, se quedará pegado a la base y se volverá imposible de manejar. Manipula el fondant como si se tratara de plastilina: trabájalo con las manos hasta que quede suave y maleable, pero que no se pegue a la superficie de trabajo.

2 Aplastar y extender el fondant

Cuando el fondant esté suave, aplasta la bola de fondant con la palma de la mano hasta que tenga un grosor de unos 4 cm.

Espolvorea la superficie de trabajo con un poco de harina de maíz. Extiende el fondant con un rodillo de amasar, comenzando desde el centro y extendiéndolo unas seis veces en una misma dirección.

Da la vuelta al fondant y repite el proceso. Si tu superficie de trabajo se vuelve pegajosa, espolvoréala con una pizca más de harina de maíz, pero nunca la espolvorees por encima del fondant.

Según las medidas del pastel, extiende una tira de fondant con la longitud y la anchura adecuada para cubrir la parte superior del pastel y los dos lados más delgados de una vez. Añade 5 cm más a la longitud y la anchura originales. Sigue estirando y girando el fondant hasta que tenga unos 3-5 mm de grosor, luego corta la tira de fondant que necesites (foto 1, página 37).

Consejo: Si das la vuelta al fondant te asegurarás de que siempre quede liso, lo cual hará que resulte mucho más sencillo cubrir el pastel.

3 Colocar el fondant sobre el pastel

Enrolla el fondant en el rodillo. Utiliza un pincel de repostería seco para eliminar posibles restos de harina de maíz (esto es especialmente importante si utilizas fondant de color oscuro).

Levanta el rodillo con el fondant enrollado en él y extiéndelo sobre el pastel, comenzando por uno de los lados más finos de la pared y desenrollándolo sobre la parte superior del pastel (foto 2, pág. 37).

4 Ajustar los bordes

Pasa rápidamente la mano sobre la superficie del pastel para asegurarte de que no quedan burbujas de aire.

Ajusta los bordes pasando la palma de la mano sobre el borde superior y los lados del pastel (foto 4).

5 Recortar el fondant

Recorta el fondant sobrante con un cuchillo afilado.

Consejo: No recortes el fondant demasiado cerca de la base del pastel, ya que el fondant puede encogerse después de cortarlo y podría quedar corto. Si te sucede esto, ajusta tu diseño y oculta el hueco colocando un rulo o una «cuerda» fina de fondant sobrante alrededor de la base del pastel.

6 Pulir los bordes

Utiliza dos raspadores flexibles contrapuestos para conseguir un borde afilado.

7 Cubrir los lados

Ahora que ya has cubierto la parte superior y los lados más finos del pastel, ha llegado la hora de cubrir los dos lados más grandes de tu pared. Vuelve a calcular el fondant que necesitarás, extiéndelo y corta dos piezas.

Extiende sirope sobre los lados del pastel con un pincel. Coloca una pieza de fondant bien alineada contra la base del pastel y luego trabaja el fondant volteándolo hacia arriba y pegándolo bien.

Repite el mismo proceso para ajustar el fondant, alisándolo y eliminando las burbujas de aire tal como hiciste con los lados más finos.

8 Utilizar los alisadores

Pasa los alisadores por los lados del pastel. Yo utilizo dos alisadores para realizar esta tarea; el que sujeto con la mano izquierda lo desplazo de atrás hacia delante, y el que sujeto con la mano derecha lo presiono contra el pastel para crear un borde afilado.

A continuación, sujeta un alisador sobre el lateral del pastel y el otro sobre la superficie de arriba. Aplicando la misma presión sobre ambos, apriétalos a la vez y desplázalos por el lado del pastel para crear un borde afilado.

Desliza la mano por encima del pastel y si encuentras alguna burbuja de aire, pínchala con un alfiler pequeño y empuja poco a poco el aire con los dedos secos (pág. 185).

Pasa de nuevo el alisador o el raspador flexible sobre el pastel para pulir y abrillantar el fondant.

Cubrir de ganache un pastel abovedado

Todos los pasteles abovedados de este libro se confeccionan a partir de un pastel redondo de 22 cm. Para montarlo necesitarás una base de montaje o de colocación redonda de 25 cm, y una base de presentación de 35 cm. Si cubres el pastel abovedado con ganache, no solo estará mucho más rico, sino que la ganache te ayudará a darle forma al pastel.

1 Cortar horizontalmente el pastel formando tres capas uniformes

Coloca el pastel sobre un plato giratorio y pon una mano encima (nunca sobre el lateral, ya que el cuchillo podría resbalar). Con la otra mano coge un cuchillo de sierra y asegúrate de mantener siempre el cuchillo horizontal y en el mismo nivel.

Marca las líneas de corte en el pastel con una señal en el lateral; cada capa debería tener unos 2,5 cm. Gira el pastel y corta hacia el centro con un movimiento de sierra y a mayor profundidad en cada giro, asegurándote de mantener siempre el cuchillo horizontal y en el mismo nivel.

Repite este paso para cortar otra capa (foto 1).

2 Aplicar sirope con un pincel

Coloca las tres capas del pastel sobre la superficie de trabajo y aplica generosamente el sirope (pág. 176) con un pincel sobre cada capa.

3 Rellenar el pastel con la ganache

Utiliza una espátula para extender un poco de ganache sobre la base de montaje de 25 cm.

Coloca la capa inferior del pastel sobre la base de montaje. Extiende la ganache sobre la capa inferior hasta que tenga un grosor de 1 cm, luego coloca la siguiente capa encima. Cubre la segunda capa del pastel con más ganache y luego coloca la tercera capa encima. No extiendas ganache encima del pastel en este momento.

Consejo: Es muy importante contar con una base de montaje o de colocación cuando extiendes la ganache, puesto que te permite embadurnarlo todo sin problemas.

4 Crear la bóveda

Coloca la base de montaje sobre la base de presentación. Utilizando la base de montaje como guía, corta el pastel en forma de bóveda (foto 2, pág. 39), rebajando el pastel desde la parte superior, pero manteniendo el borde inferior intacto. Reserva los trozos cortados del pastel.

El siguiente paso puede resultar bastante complicado y viscoso, así que no te asustes si tu pastel acaba hecho pedazos, ¡después de darle la capa final de ganache será delicioso y tendrá un aspecto perfecto!

Utiliza la ganache como si fuera pegamento para volver a pegar en el pastel los trozos cortados (foto 3, pág. 39). La idea es añadir el pastel necesario para tallar o esculpir la forma que desees (ten en cuenta que estará a años luz de parecer una bóveda antes de darle una buena capa de ganache y pasarle el cuchillo caliente). Deja que la ganache se asiente durante unas horas.

5 Pasar una espátula caliente

Coge una espátula y sumérgela durante unos segundos en agua caliente. Alisa la ganache deslizando la espátula por encima de la parte superior del pastel y bajando hasta el lateral, asegurándote de aplicar una presión uniforme sobre la espátula. Si la ganache es irregular, aplica más para nivelar el pastel.

Limpia la base de presentación y coloca encima el pastel. Deja que la ganache endurezca (a ser posible, durante toda la noche) antes de decorarlo.

Cubrirlo de ganache

Para cubrir un pastel abovedado se aplican los mismos principios que en el caso de un pastel redondo o cuadrado. Asegúrate de que tu pastel tiene una ganache uniforme, lisa y asentada antes de cubrirlo con fondant. Cuanto más perfecta sea la aplicación de la ganache, mejor será el resultado final.

1 Preparar el pastel y el fondant

Limpia la superficie de trabajo y asegúrate de que está seca. Mide el pastel (tanto los laterales como la superficie superior). Utilizando un pincel, cubre todo el pastel con un poco de sirope (pág. 176); esto ayudará a que el fondant se pegue al pastel.

Coloca el pastel sobre una base de goma antideslizante o sobre un trapo de cocina húmedo para que no resbale mientras estás trabajando con él.

Amasa el fondant (y tíñelo si lo deseas, siguiendo las instrucciones de las páginas 178-179) hasta conseguir una pasta suave y maleable. Mientras amasas puedes utilizar una pizca de harina de maíz (maicena) si la masa se pega a la superficie de trabajo.

Consejo: Amasar el fondant no es como amasar un pastel. Si lo golpeas con los puños, se quedará pegado a la base y se volverá imposible de manejar. Manipula el fondant como si se tratara de plastilina: trabájalo con las manos hasta que quede suave y maleable, pero que no se pegue a la superficie de trabajo.

2 Aplastar y extender el fondant

Cuando el fondant esté suave, aplasta la bola de fondant con la palma de la mano hasta que tenga un grosor de unos 4 cm.

Espolvorea la superficie de trabajo con un poco de harina de maíz. Extiende el fondant con un rodillo de amasar, comenzando desde el centro y extendiéndolo unas seis veces en una misma dirección.

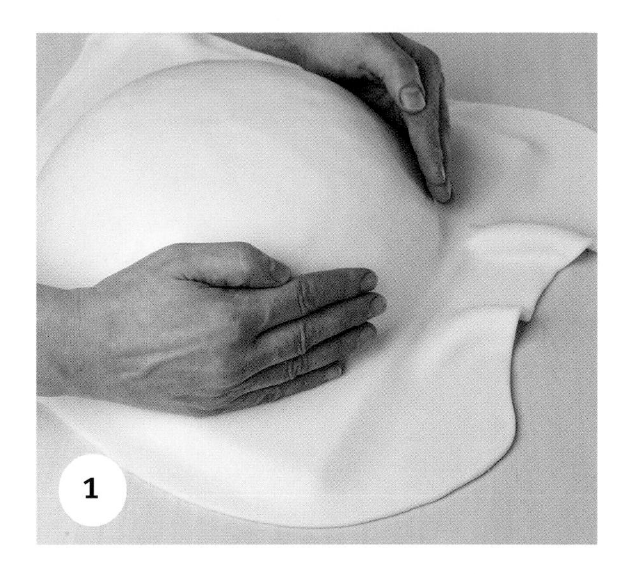

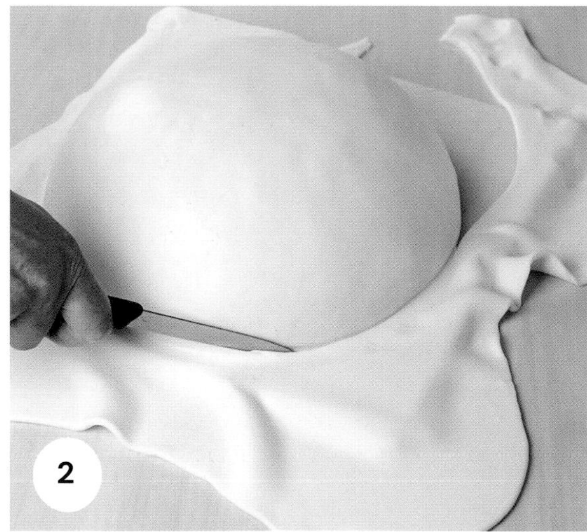

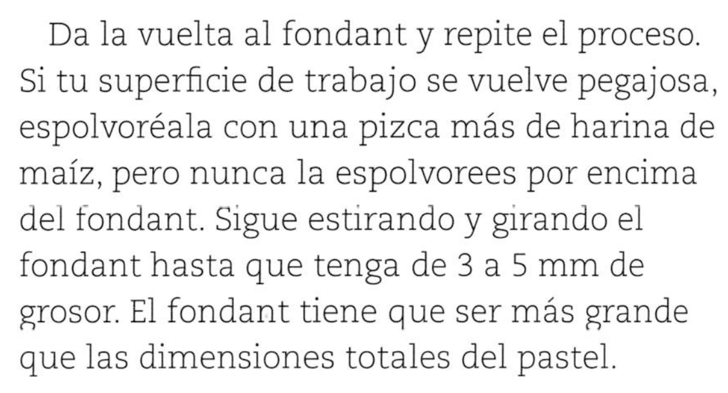

Da la vuelta al fondant y repite el proceso. Si tu superficie de trabajo se vuelve pegajosa, espolvoréala con una pizca más de harina de maíz, pero nunca la espolvorees por encima del fondant. Sigue estirando y girando el fondant hasta que tenga de 3 a 5 mm de grosor. El fondant tiene que ser más grande que las dimensiones totales del pastel.

Consejo: Si das la vuelta al fondant te asegurarás de que siempre quede liso, lo cual hará que resulte mucho más sencillo cubrir un pastel.

3 Colocar el fondant sobre el pastel

Enrolla el fondant en el rodillo. Utiliza un pincel de repostería seco para eliminar posibles restos de harina de maíz (esto es especialmente importante si utilizas fondant de color oscuro). Levanta el rodillo con el fondant enrollado en él y extiéndelo sobre el pastel.

4 Ajustar el fondant

Pasa rápidamente la mano sobre la superficie del pastel para asegurarte de que no quedan burbujas de aire. Estira los pliegues que se hayan formado o las formas irregulares con la ayuda de las manos y los dedos. Ajusta los bordes del pastel pasando la palma de la mano sobre el lateral del pastel, colocando las manos en la posición de «golpe de karate con el canto de la mano» (foto 1).

5 Recortar el fondant

Una vez cubierto el pastel, utiliza el lomo de un cuchillo para presionar suavemente el fondant contra el lateral y la base del pastel. Insértalo por debajo para hacer una línea de corte y, a continuación, recorta el fondant con un cuchillo (foto 2).

Consejo: No recortes el fondant demasiado cerca de la base del pastel, ya que puede encogerse después de cortarlo y podría quedar corto. Si te sucede esto, ajusta tu diseño y oculta el hueco colocando un rulo o una «cuerda» fina de fondant sobrante alrededor de la base del pastel.

6 Pulir y abrillantar el fondant

Utiliza tu maravilloso raspador flexible para pulir y abrillantar el fondant presionándolo hacia el pastel, dándole así una forma más definida. Cuanto más tiempo dediques a este paso, mejor aspecto tendrá. Asegúrate de eliminar todas las burbujas de aire (véase la pág. 185), trabajando suavemente el fondant con las manos y el raspador flexible.

LOS DISEÑOS
DE PASTELES

LIBRO DE MAGIA

Este pastel posee muchísimas opciones de diseño diferentes, todas ellas fantásticas. También puede convertirse en un pastel de graduación, un libro de cocina, un diccionario o incluso un libro religioso, con solo cambiar la portada o los colores. Por ejemplo, un libro de cocina quedaría genial en rojo, un libro de graduación sería perfecto en marrón, y los libros religiosos resultan estupendos en blanco o negro, pero elijas el color que elijas, seguro que acertarás. Puedes añadir un título al libro utilizando los cortadores del alfabeto. Prácticamente todas las figuritas quedarán geniales sobre este pastel, pero también puede resultar perfecto por sí solo.

QUÉ NECESITAS

MATERIALES

600 g de colorante alimentario (base de presentación)
1 pastel cuadrado de 20 cm
1,2 kg de ganache
100 ml de sirope
Harina de maíz (maicena) en un tamiz
1,5 kg de fondant blanco (pastel)
600 g de fondant púrpura (cubierta del libro)
100 g de fondant púrpura (borde)
50 g de fondant amarillo (punto de libro)
100 g de fondant naranja (mensaje)

UTENSILIOS

Herramientas para aplicar la ganache
Rasqueta de plástico/metal
Espátula acodada
Cuchillo de sierra
Base cuadrada de 20 cm (montaje)
Base cuadrada de 35 cm (presentación)
Rodillo de amasar grande y pequeño
Alisador
Cuchillo de cocina afilado pequeño
Hoja pequeña de vinilo o plástico
Raspador flexible
Pincel de repostería
Pincel mediano
Regla o espátula dentada
Cortadores del alfabeto (opcional)
Máquina de pasta (opcional, para estirar el fondant)

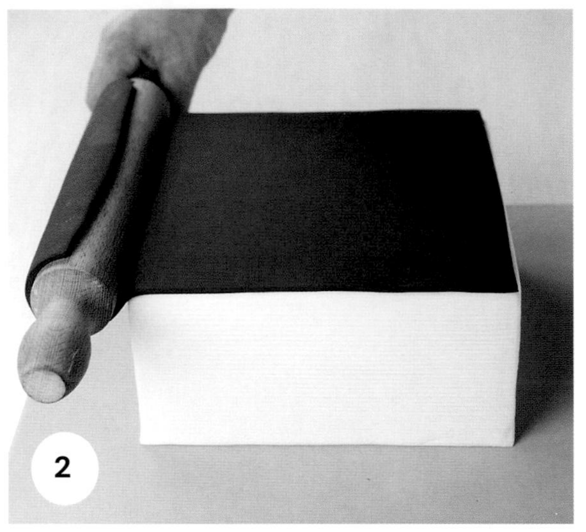

CUBRIR LA BASE DE PRESENTACIÓN

Amasa el fondant de color hasta que sea una pasta maleable y luego extiéndelo hasta conseguir un grosor de 3 mm. Cubre la base de presentación siguiendo las instrucciones de la página 181.

EXTENDER LA GANACHE EN EL PASTEL

Sigue las instrucciones generales de la página 31 sobre cómo rellenar y cubrir de ganache un pastel cuadrado.

CUBRIR DE FONDANT EL PASTEL Y MARCAR LAS PÁGINAS

Amasa el fondant blanco hasta que sea una masa maleable y extiéndelo hasta alcanzar los 3 mm de grosor. Sigue las instrucciones sobre cómo cubrir de fondant un pastel cuadrado en la página 35.

Mientras el fondant siga blando, marca tres bordes adyacentes exteriores con una regla o con una espátula acodada para que parezcan páginas de libro (foto 1).

Deja secar el fondant y luego coloca el pastel sobre la base de presentación.

HACER LA PORTADA DEL LIBRO

Utilizando la regla, mide el área donde deberás colocar el fondant de la portada frontal y el lomo del libro. Añade 1 cm adicional a las medidas obtenidas.

Amasa 600 g de fondant púrpura hasta formar una pasta maleable y a continuación extiéndelo hasta conseguir un grosor de 3 mm. Corta el fondant necesario según las medidas.

Utiliza la misma técnica de recubrimiento que emplearías para un pastel entero. Cubre la parte superior del pastel (la portada del libro) primero, y luego desenrolla el fondant para recubrir el lomo (foto 2). Deberás recortar el fondant con un cuchillo.

Cuando el fondant se encuentre en la posición perfecta, retira la cubierta de fondant púrpura y pincélalo con agua por debajo para fijarlo en su lugar (foto 3).

Cuando recubras la parte superior del libro, asegúrate de que sobresalga un poquito de fondant para crear el efecto de un libro de verdad: unos 5 mm serán suficientes. Manipula el fondant y colócalo en su sitio.

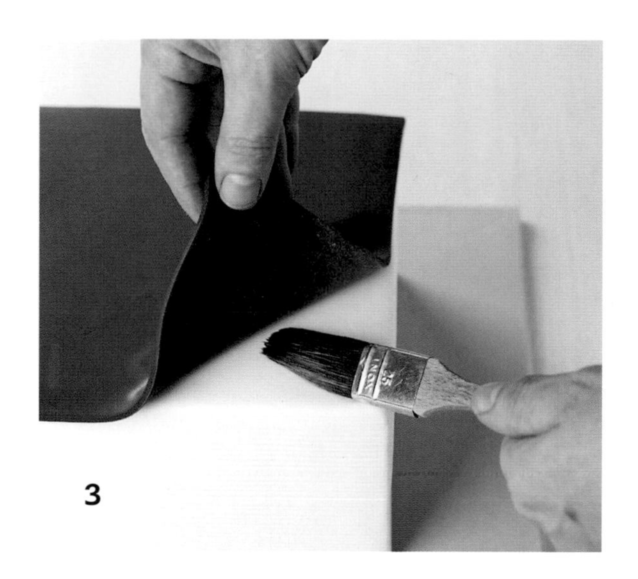

3

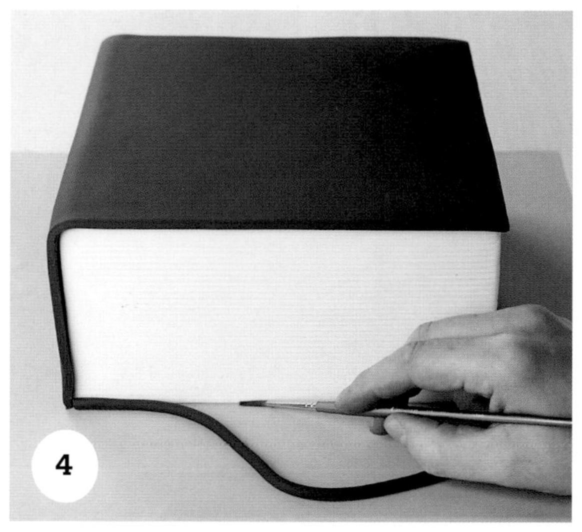

4

BORDE

Mide los tres lados del pastel: debería medir unos 60 cm en total. Esta es la longitud del rulo de fondant que necesitarás para formar el borde.

Amasa los 100 g de fondant púrpura hasta que sea una pasta maleable. Con la ayuda de un alisador, forma un rulo delgado con el fondant (véase la pág. 183).

Traza con el pincel una línea de agua en la base del pastel. Coloca cuidadosamente el rulo de fondant a lo largo de la base para formar una frontera o una moldura de portada de libro (foto 4). Alisa cuidadosamente las líneas de unión.

PUNTO DE LIBRO

Amasa el fondant amarillo hasta formar una pasta maleable y, a continuación, estírala con un rodillo hasta que alcance los 2 mm de grosor. Corta una tira de unos 10 cm de largo y de 2 a 3 cm de ancho. Corta una «V» en uno de los extremos del punto de libro, o bien practica pequeños cortes a lo largo de un extremo para conseguir un efecto deshilachado. Cúbrelo con una hoja de vinilo o plástico para evitar que se seque.

Para dar la impresión de que el punto de libro sale del pastel, inserta un cuchillo en el pastel y practica una hendidura lo bastante grande como para meter el punto de libro.

Traza con el pincel una línea de agua desde el lugar donde has practicado el corte hasta el final del libro, sobre de la base.

Coloca delicadamente el punto dentro del libro utilizando el cuchillo para insertarlo. Dispón el punto de libro siguiendo la línea de agua para fijarlo sobre la base.

ESCRIBIR EL MENSAJE

Amasa el fondant naranja hasta conseguir una masa maleable y, a continuación, estíralo con un rodillo hasta que alcance 1 mm de grosor. Confecciona el mensaje utilizando cortadores del alfabeto y recortando el mensaje.

Aplica con un pincel un poco de agua en el dorso de las letras y pégalas en la base del pastel.

PLAYA

Este pastel resulta fantástico si eres nuevo en el mundo de la decoración de pasteles; el margen de error es muy amplio, ya que la forma del pastel es libre y orgánica. Hacer un pastel abovedado es relativamente fácil, pero el efecto es impresionante, y transformar el fondant en arena es muy divertido. Si quieres ser más creativo, puedes añadir tablas de surf, algas marinas, toallas playeras y banderas. Estas decoraciones adicionales no son nada difíciles: solo necesitas un poco de fondant y una pizca de imaginación. A muchas de las figuritas de este libro les encantaría pasar el rato en la playa, especialmente a los pulpos hiphoperos y a los pingüinos surfistas.

QUÉ NECESITAS

MATERIAL

600 g de fondant azul (base de presentación)
1 pastel redondo de 22 cm
1,2 kg de ganache
100 ml de sirope
Harina de maíz (maicena) tamizada
1,2 kg de fondant blanco (pastel)
200 g de azúcar moreno (arena)
400 g de glasa real (arena)
Colorante alimentario marrón caramelo (arena)
500 g de glasa real (olas)
Pasta de fondant azul marino (olas)
Pasta de fondant verde azulado (olas)
100 g de fondant de color opcional (mensaje)

UTENSILIOS

Herramientas para aplicar la ganache
Rasqueta de plástico/metal
Espátula acodada
Cuchillo de sierra
Base redonda de 25 cm (montaje)
Base redonda de 35 cm (presentación)
Rodillo de amasar grande y pequeño
Alisador
Cuchillo de cocina afilado pequeño
Raspador flexible
Pincel de repostería
Pincel mediano
Regla o espátula dentada
Cortadores del alfabeto (opcional)

CUBRIR LA BASE DE PRESENTACIÓN

Amasa el fondant azul hasta formar una masa maleable y luego extiéndelo hasta alcanzar un grosor de 3 mm. Cubre la base de presentación siguiendo las instrucciones de la página 181.

DAR FORMA AL PASTEL Y EXTENDER LA GANACHE

Sigue las instrucciones generales sobre cómo preparar y rellenar de ganache un pastel abovedado de las páginas 39-40.

CUBRIR DE FONDANT EL PASTEL

Amasa el fondant blanco hasta formar una pasta maleable y luego extiéndelo hasta alcanzar un grosor de 3 mm. Sigue las instrucciones sobre cómo cubrir un pastel abovedado en las páginas 40-41.

Deja secar el fondant y, a continuación, coloca el pastel sobre la base de presentación.

HACER LA ARENA

Mezcla el azúcar moreno con los 400 g de glasa real. Añade una gota de colorante alimentario de color marrón caramelo de gota en gota hasta conseguir el color de la arena (foto 1).

Trabajando con rapidez, cubre la bóveda con el fondant de arena utilizando la espátula para dar una apariencia irregular a la superficie. Evita llevar el fondant a la base del pastel.

HACER OLAS

Toma los 500 g de glasa real e incorpora los colores azul marino y verde azulado. Para crear un efecto de dos tonos, intenta no mezclar completamente los dos colores.

Utiliza una espátula para crear olas en la base del pastel: empieza en la base del pastel y crea un movimiento de olas (foto 2).

ESCRIBIR EL MENSAJE

Amasa el fondant de color opcional hasta obtener una masa maleable y a continuación extiéndelo hasta alcanzar un grosor de 1 mm.

Corta tu mensaje con la ayuda de los cortadores del alfabeto (foto 3). Aplica con un pincel un poco de agua en el dorso de las letras y pégalas en la base del pastel.

HAPPY
BIRTHDAY

EL GRAN ESCENARIO

Este diseño es tremendamente versátil y funciona con prácticamente todas las figuritas: al fin y al cabo, todo el mundo desea aparecer ante un público. Posee algunos detalles que impresionarán a tus invitados, como la base de madera y las cortinas, y ambas cosas resultan relativamente fáciles de hacer. Los colores tradicionales, como el rojo, quedan fantásticos, pero recuerda que resulta más difícil trabajar con el fondant rojo (véanse las instrucciones en la página 179). El azul marino o el púrpura también quedan geniales y son un poco más fáciles de manipular que el rojo.
Mi imaginación se dispara con este diseño: de repente, veo a los personajes de este libro convertidos en magos... El mensaje perfecto, por supuesto, sería: ¡Abracadabra!

QUÉ NECESITAS

MATERIAL

600 g de fondant blanco (base de presentación)
1 pastel cuadrado de 20 cm
1,2 kg de ganache
100 ml de sirope
Harina de maíz (maicena) tamizada
1,5 kg de fondant verde claro (pastel)
Colorante alimentario marrón
Alcohol alimentario
Polvo alimentario plateado (opcional)
300 g de fondant verde oscuro (cortinas)
100 g de fondant rojo (mensaje)

UTENSILIOS

Herramientas para aplicar la ganache
Rasqueta de plástico/metal
Espátula acodada
Cuchillo de sierra
Base rectangular de 10 x 20 cm (montaje)
Base cuadrada de 35 cm (presentación)
Rodillo de amasar grande y pequeño
Alisador
Cuchillo de cocina afilado pequeño
Herramienta de decoración
Raspador flexible
Pincel de repostería
Pincel mediano
Regla
Pinchos de madera
Máquina de pasta (opcional)

1

2

CUBRIR LA BASE DE PRESENTACIÓN

Amasa el fondant blanco hasta formar una pasta maleable y luego extiéndelo hasta alcanzar un grosor de 3 mm. Sigue las instrucciones sobre cómo cubrir la base de presentación de la página 181.

DAR FORMA AL PASTEL Y EXTENDER LA GANACHE

Sigue las instrucciones generales sobre cómo preparar y extender la ganache en un pastel en forma de pared de la página 36.

CUBRIR DE FONDANT EL PASTEL

Amasa el fondant verde claro hasta formar una pasta maleable y luego extiéndelo hasta alcanzar un grosor de 3 mm. Sigue las instrucciones sobre cómo cubrir un pastel en forma de pared de las páginas 37-38. Deja que se seque el fondant.

HACER EL ENTARIMADO

Mientras el fondant de la base de presentación aún está blando, márcalo con el lomo de un cuchillo. Utiliza una regla para marcar el dibujo del entarimado (foto 1).

Para conseguir un efecto adicional, utiliza tu herramienta de decoración o una boquilla pequeña para practicar pequeños agujeros para crear los «clavos» del entarimado.

Mezcla colorante alimentario marrón con un poco de alcohol alimentario y haz una prueba de color en un trozo de fondant sobrante. Pinta el entarimado con un pincel de repostería (foto 2).

Traslada el pastel de la base de montaje a la base del entarimado y colócalo en el tercio trasero de la base para dejar espacio a las figuritas.

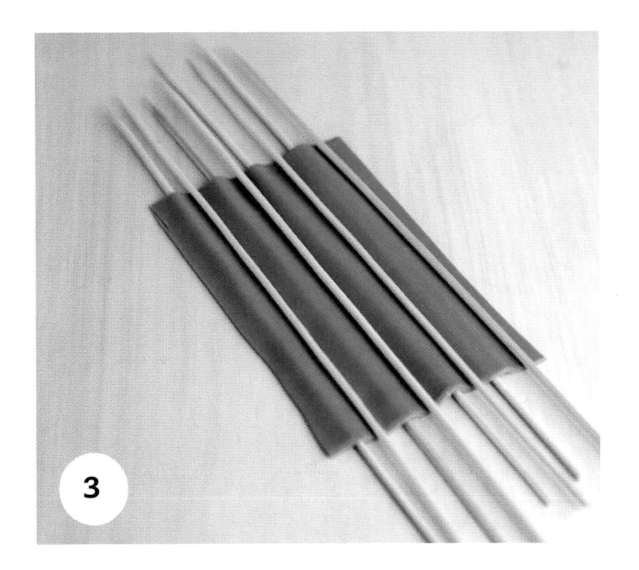

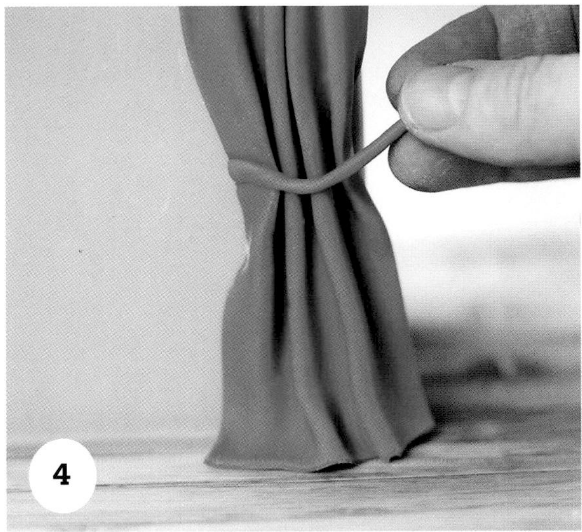

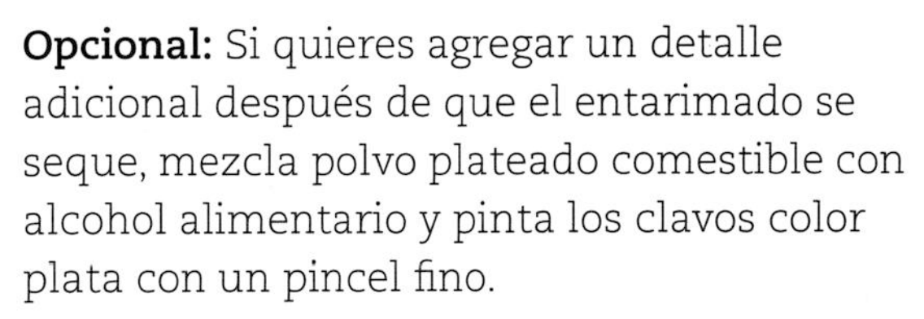

Opcional: Si quieres agregar un detalle adicional después de que el entarimado se seque, mezcla polvo plateado comestible con alcohol alimentario y pinta los clavos color plata con un pincel fino.

HACER LAS CORTINAS

Amasa el fondant verde oscuro hasta obtener una masa maleable y, a continuación, extiéndelo hasta alcanzar un grosor de 1 mm. Corta las siguientes piezas de fondant:

Para los laterales: dos rectángulos de 12 x 14 cm

Para la parte frontal: un rectángulo de 10 x 15 cm

Para la parte trasera: un rectángulo de 10 x 24 cm

Para el borde frontal: dos rectángulos de 10 x 18 cm

Coloca los pinchos de madera encima y debajo de cada pieza de fondant de forma alterna (foto 3). A continuación, retira los pinchos del fondant.

Fija el telón al pastel inmediatamente: si el fondant aún está blando, resultará más fácil manipularlo y ajustarlo bien. Primero fija el telón lateral al pastel y luego las cortinas superiores.

Recoge la «cortina» en la parte superior y luego colócala sobre el pastel con un poco de agua.

Toma trocitos de fondant verde oscuro y haz bolitas con ellos. Moldea las bolitas formando rulos muy finos y luego pégalos a las cortinas con una pincelada de agua para formar los alzapaños de las cortinas (foto 4).

ESCRIBIR EL MENSAJE

Amasa el fondant rojo hasta obtener una masa maleable y a continuación extiéndelo hasta alcanzar un grosor de 1 mm.

Recorta el mensaje con la ayuda de los cortadores del alfabeto. Aplica con un pincel un poco de agua sobre el dorso de las letras y pégalas en la base del pastel.

NUBES DE ALGODÓN DE AZÚCAR

En este pastel la fantasía no tiene límites, igual que el cielo. Para crearlo me inspiré en los diseños *kawaii* japoneses, y quería crear un ambiente de fantasía como en los dibujos animados. Puedes añadir diferentes elementos al pastel, como por ejemplo, estrellas, piruletas, corazones o incluso gotas de lluvia. Para inspirarte puedes buscar la palabra «kawaii» en Internet. Si utilizas la sencilla técnica de plantillas de la página 183, podrás incorporar multitud de elementos adicionales. Cuando diseñé este pastel, pensé que podría gustar a las niñas, pero también puede ser perfecto para niños pequeños, o incluso para un bautizo.

QUÉ NECESITAS

MATERIAL

600 g de fondant azul
(base de presentación)
1 pastel cuadrado de 20 cm
1,2 kg de ganache
100 ml de sirope
Harina de maíz (maicena) tamizada
1,5 kg de fondant azul (pastel)
20 g de fondant rojo (arco iris)
20 g de fondant naranja (arco iris)
20 g de fondant amarillo (arco iris)
20 g de fondant verde (arco iris)
20 g de fondant azul (arco iris)
20 g de fondant púrpura (arco iris)
100 g de fondant blanco (nubes)

UTENSILIOS

Herramientas para aplicar la ganache
Rasqueta de plástico/metal
Espátula acodada
Cuchillo de sierra
Base rectangular de 10 x 20 cm (montaje)
Base cuadrada de 35 cm (presentación)
Rodillo de amasar grande y pequeño
Alisador
Cuchillo de cocina afilado pequeño
Raspador flexible
Pincel de repostería
Pincel mediano
Papel de hornear
Lápiz 2B
Tijeras
Bolsa con cierre zip
Alfiler (opcional)
Máquina de pasta (opcional, para estirar el fondant)

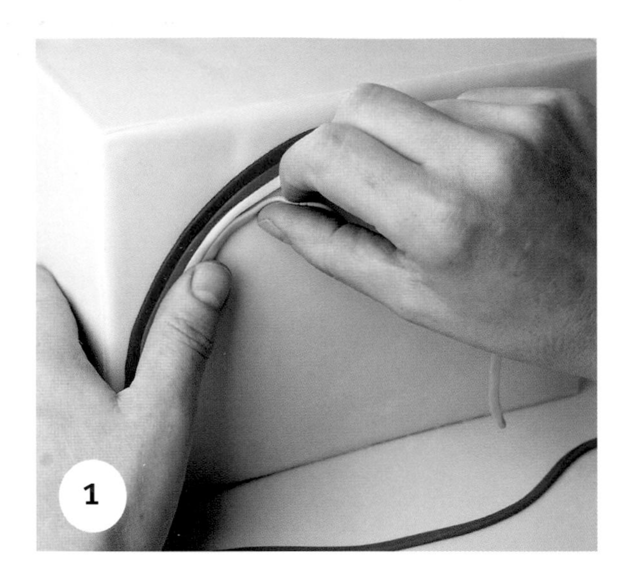

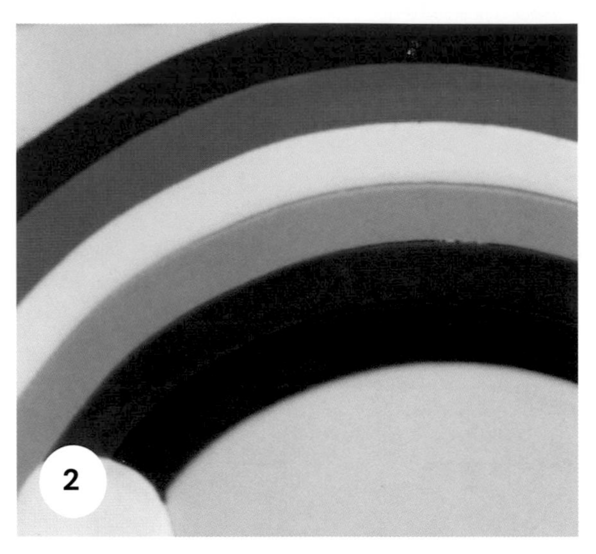

CUBRIR LA BASE DE PRESENTACIÓN

Amasa los 600 g de fondant azul hasta formar una pasta maleable y luego extiéndelo hasta alcanzar un grosor de 3 mm. Sigue las instrucciones sobre cómo cubrir la base de presentación de la página 181.

DAR FORMA AL PASTEL Y EXTENDER LA GANACHE

Sigue las instrucciones generales sobre cómo preparar y extender la ganache en un pastel en forma de pared de la página 36.

CUBRIR DE FONDANT EL PASTEL

Amasa el 1,5 kg de fondant azul hasta formar una pasta maleable y luego extiéndelo hasta alcanzar un grosor de 3 mm.

Sigue las instrucciones para cubrir un pastel en forma de pared de las páginas 37-38. Deja que se seque el fondant y, a continuación, coloca el pastel sobre la base de presentación.

HACER LAS PLANTILLAS

Con la ayuda de una fotocopiadora, amplía las plantillas del arco iris y las nubes que aparecen en la página de al lado. Dibuja las plantillas sobre una hoja de papel de hornear con un lápiz 2B y córtalas.

HACER UN ARCO IRIS

Copia el diseño de la plantilla de arco iris en la parte frontal del pastel (véase la página 183).

Mezcla bien cada fondant de los colores del arco iris y forma una bola lisa y sin grietas con cada uno de ellos. Colócalas dentro de una bolsa con cierre zip para que no se sequen.

Opción 1

Extiende las bolas de fondant de colores hasta alcanzar un grosor de 2 mm. Utilizando la plantilla de papel de hornear como guía, corta la forma del arco iris con un cuchillo pequeño y afilado. Aplica con un pincel un poco de agua en la parte trasera de los arcos y pégalos en la parte frontal del pastel.

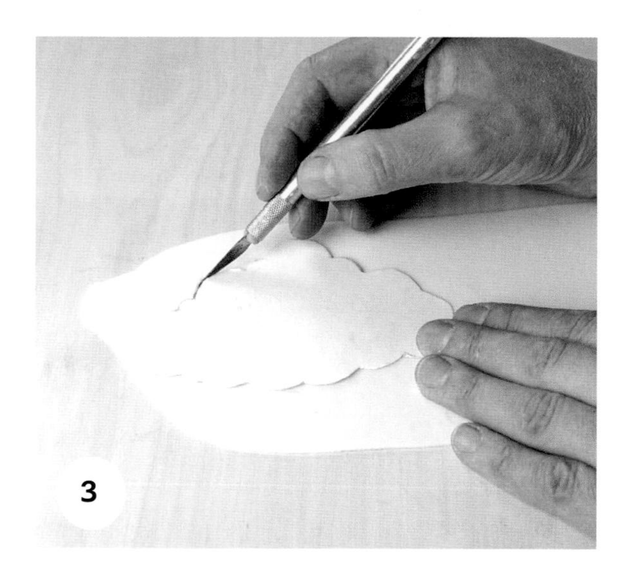

Opción 2
Extiende las bolas de fondant de colores hasta alcanzar un grosor de 2 mm. Estíralas por separado con una máquina de hacer pasta, mediante la opción de hacer fetuccini, para formar los arcos, y pégalos en la parte frontal del pastel con una pincelada de agua (foto 1).

Opción 3
Extiende las bolas de fondant formando pequeños rulos del mismo tamaño (véase la página 183) y luego aplánalos. Pégalos en la parte frontal del pastel con una pincelada de agua, formando un arco iris (foto 2).

EXTENDER LAS NUBES

Amasa los 100 g de fondant blanco hasta obtener una masa maleable y a continuación extiéndelo hasta alcanzar un grosor de 1 mm. Coloca la plantilla de nube encima del fondant y recorta formas de nubes (foto 3). Pega las nubes en el pastel y en la base con una pincelada de agua.

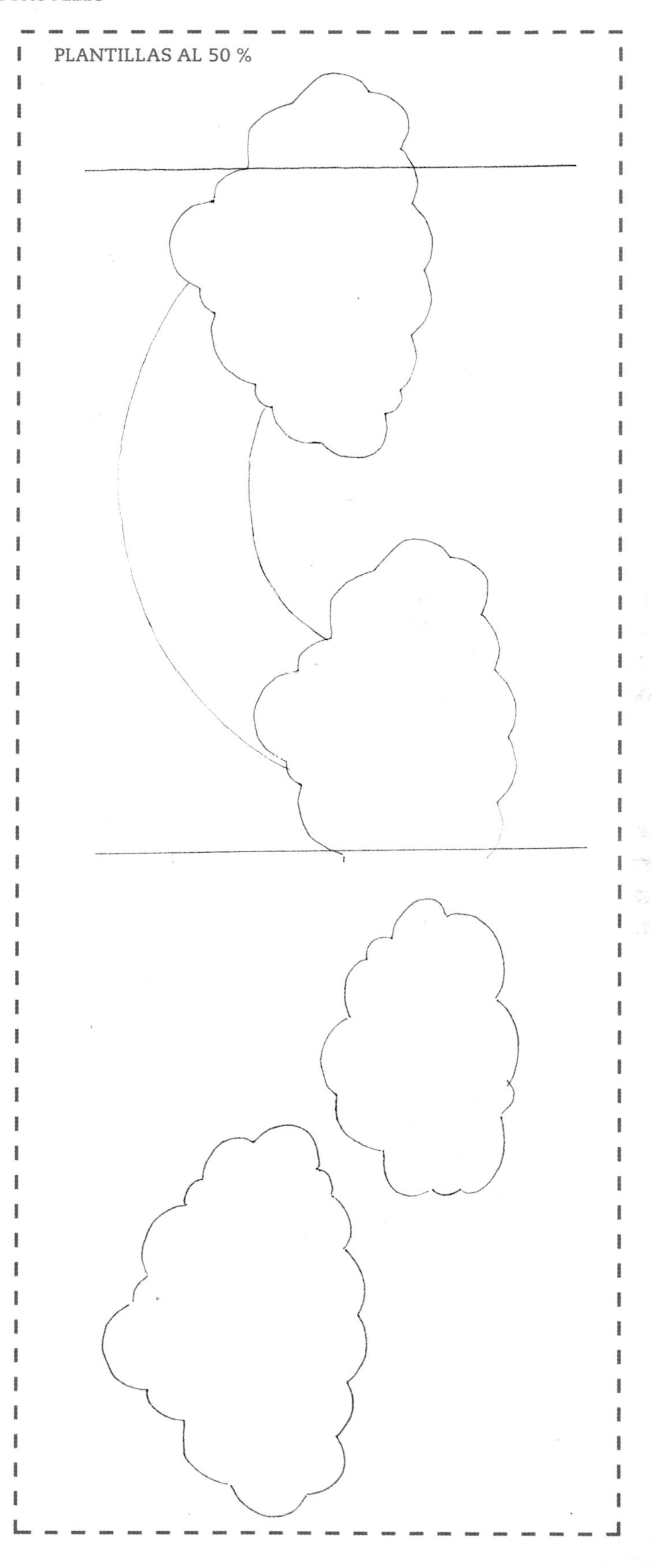

PASTEL DE DIBUS

Si te gustan los dibujos animados, entonces ya sabes qué aspecto debe tener un pastel de cumpleaños. Me gusta este diseño por su ostentoso fondant de colores brillantes. Es un diseño de pastel que resulta perfecto para todo el mundo, no solo para los niños. Algunas combinaciones de colores maravillosas serían una base blanca con colores de helado, como frambuesa y café, o bien mezclar colores de sorbete, como limón y pistacho. Si vas a poner figuritas en la base, asegúrate de colocar el pastel hacia atrás para poder colocarlas bien. Los personajes que quedan geniales en este pastel son los osos de peluche, Piggy y Pepper y los perros deportistas.

QUÉ NECESITAS

MATERIAL

600 g de fondant blanco (base de presentación)
1 pastel redondo de 22 cm
1,2 kg de ganache
100 ml de sirope
Harina de maíz (maicena) tamizada
1,5 kg de fondant marrón (pastel)
400 g de fondant rosa (fondant parte superior)
100 g de fondant rosa (franja central de fondant)
12 x 10 g de bolas de fondant rojo (cerezas)
Cinta floral verde
Glasé
100 g de glasa real blanca
100 g de fondant de color opcional (mensaje)

UTENSILIOS

Herramientas para aplicar la ganache
Rasqueta de plástico/metal
Espátula acodada
Cuchillo de sierra
Base redonda de 22 cm (montaje)
Base redonda de 35 cm (presentación)
Rodillo de amasar grande y pequeño
Alisador
Cuchillo de cocina afilado pequeño
Raspador flexible
Pincel de repostería
Pincel mediano
Cortadores del alfabeto (opcional)
Máquina de pasta (opcional, para estirar el fondant)
Herramienta de decoración
1 boquilla de estrella de 1 cm
Bolsa de plástico desechable para manga pastelera
Cortador de pizza

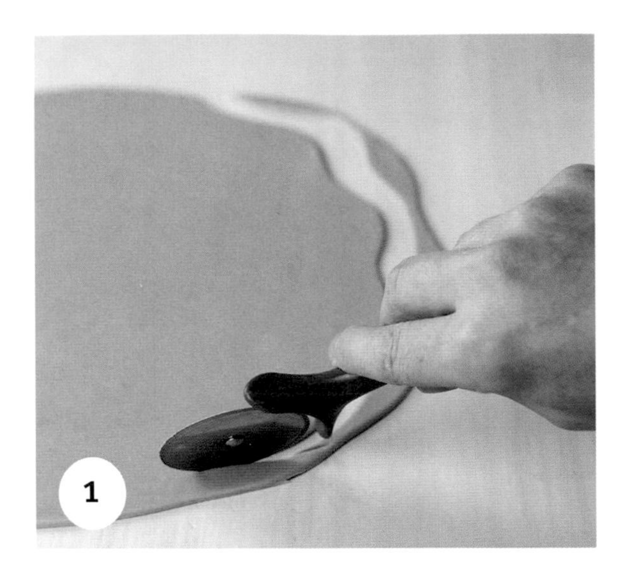

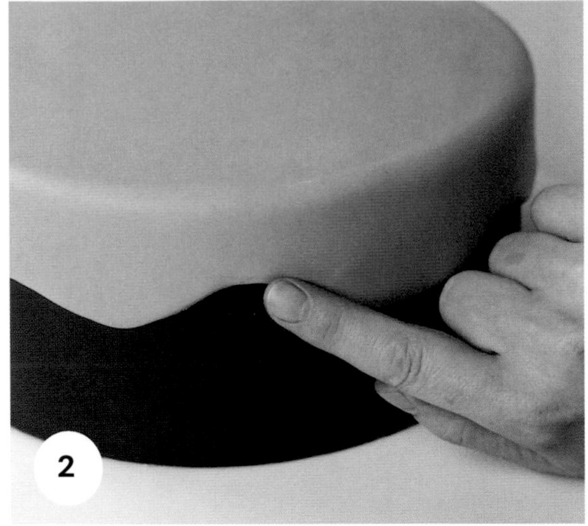

CUBRIR LA BASE DE PRESENTACIÓN

Amasa el fondant blanco hasta formar una pasta maleable y luego extiéndelo hasta alcanzar un grosor de 3 mm. Sigue las instrucciones sobre cómo cubrir la base de presentación de la página 181.

EXTENDER LA GANACHE EN EL PASTEL

Sigue las instrucciones generales sobre cómo preparar y extender la ganache en un pastel redondo de las páginas 28-30.

CUBRIR DE FONDANT EL PASTEL

Amasa el fondant marrón hasta formar una pasta maleable y luego extiéndelo hasta alcanzar un grosor de 3 mm. Sigue las instrucciones sobre cómo cubrir un pastel redondo de las páginas 32-34. Deja que se seque el fondant.

Coloca el pastel sobre la base de presentación hacia atrás, dejando espacio para las figuritas (no coloques el pastel justo en el centro de la base).

COLOCAR EL FONDANT ROSA DE LA PARTE SUPERIOR

Mide la parte superior del pastel que deberás cubrir de fondant rosa y añade 10 cm a las medidas obtenidas. Aplica un poco de agua sobre la zona con un pincel.

Amasa los 400 g de fondant rosa hasta formar una pasta maleable y luego estírala hasta alcanzar un grosor de 3 mm.

Utiliza un cortador de pizza para cortar una forma ondulada alrededor del borde del círculo de fondant, para formar el «goteo» (foto 1). Puedes hacerlo a mano alzada, o si lo prefieres, puedes confeccionar una plantilla.

Coloca el fondant encima del pastel y luego alísalo y redondea los bordes goteantes con los dedos (foto 2). Alisa la superficie y el borde del pastel con el raspador flexible.

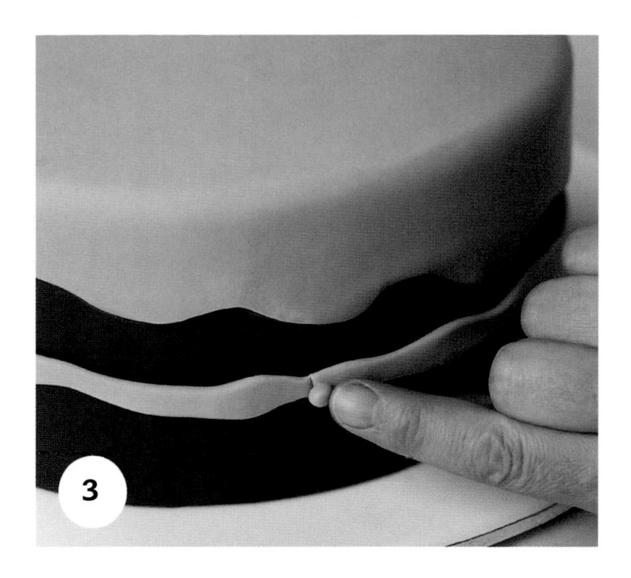

HACER LA FRANJA CENTRAL DE FONDANT ROSA

Mide la circunferencia del pastel.

Amasa los 100 g dc fondant rosa hasta formar una pasta maleable. Con la ayuda del alisador de fondant, forma un rulo irregular.

Traza con el pincel una línea de agua en el centro del lateral del pastel y luego extiende cuidadosamente el cilindro alrededor, empezando por detrás.

Utiliza una pequeña bola de fondant para cubrir el punto de unión (foto 3) y luego aplana el fondant suavemente contra el pastel.

CONFECCIONAR LAS CEREZAS

Amasa las ocho bolas de fondant rojo hasta formar unas bolas lisas, y estréchalas ligeramente por un lado para crear la base de la cereza.

Utilizando la herramienta de decoración, haz un agujero en la parte superior de cada cereza e inserta un tallo confeccionado con un trocito de cinta floral trenzada verde, ligeramente curvada (foto 4). Aplica glasé sobre las cerezas con un pincel.

COLOCAR LA NATA CON LA MANGA PASTELERA

Ajusta una bolsa de manga pastelera a una boquilla de estrella de 1 cm y coloca 12 rosetas de glasa real blanca a lo largo del borde superior del pastel. Sería buena idea que practicaras primero con la manga pastelera sobre un trozo de papel de hornear antes de hacer las rosetas sobre el pastel. Coloca una cereza sobre cada roseta antes de que se asiente el fondant.

ESCRIBIR EL MENSAJE

Amasa el fondant de color opcional hasta formar una pasta maleable y luego extiéndelo hasta conseguir un grosor de 1 mm.

Corta tu mensaje con la ayuda de los cortadores del alfabeto. Aplica con un pincel un poco de agua en el dorso de las letras y pégalas en la base del pastel.

CACEROLA

Este pastel tiene un aspecto fenomenal. Imagínate que te lo hagan para tu cumpleaños. Aunque parece complejo, es bastante fácil de hacer. No te desanimes al ver la tapa de la cacerola: en realidad forma parte del fondant del pastel, solo tienes que decorarlo de manera que parezca una tapa separada. Esta cacerola es idéntica a una que mi madre utilizaba en los años setenta. La cacerola que ves aquí es de color verde lima, pero puedes hacerla del color que prefieras. Los colores más adecuados son los colores brillantes, como por ejemplo: naranja, rojo, verde y verde azulado. Este pastel no solo es apropiado para las ratas cocineras; a todos los personajes les gusta cocinar… ¡Las langostas socorristas son perfectas para eso!

QUÉ NECESITAS

MATERIAL

600 g de fondant gris (base de presentación)
1 pastel redondo de 22 cm
1,2 kg de ganache
100 ml de sirope
Harina de maíz (maicena) tamizada
1,5 kg de fondant verde lima (pastel)
30 g de fondant negro (tirador de la tapa)
100 g de fondant verde lima (asas de la cacerola)
80 g de fondant rojo (fuego)
80 g de fondant amarillo (fuego)
80 g de fondant naranja (fuego)
100 g de fondant de color opcional (mensaje)

UTENSILIOS

Herramientas para aplicar la ganache
Rasqueta de plástico/metal
Espátula acodada
Cuchillo de sierra
2 bases redondas de 22 cm (montaje + 1)
Base redonda de 35 cm (presentación)
Rodillo de amasar grande y pequeño
Alisador
Cuchillo de cocina afilado pequeño
Raspador flexible
Pincel de repostería
Herramienta de decoración
Cortadores circulares
Pincel mediano
Marcador de costuras (opcional)
Cortador de pizza (opcional)
Cortadores del alfabeto (opcional)
Máquina de pasta (opcional, para estirar el fondant)

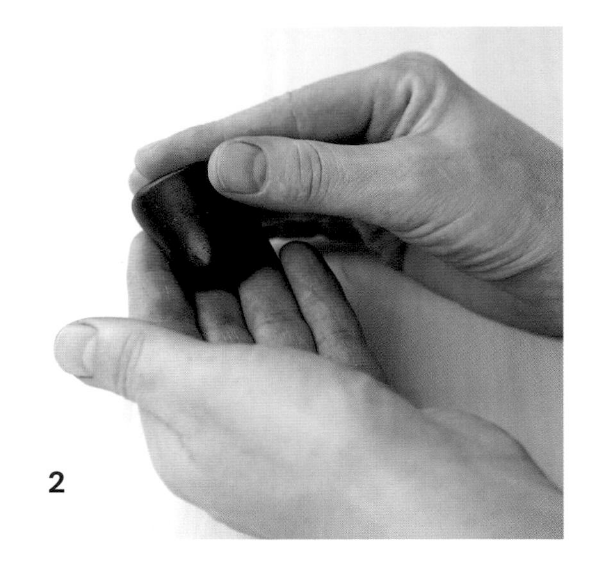

CUBRIR LA BASE DE PRESENTACIÓN

Amasa el fondant verde lima hasta formar una pasta maleable y luego extiéndelo hasta alcanzar un grosor de 3 mm. Sigue las instrucciones sobre cómo cubrir la base de presentación de la página 181.

EXTENDER LA GANACHE EN EL PASTEL

Sigue las instrucciones generales sobre cómo preparar y extender la ganache en un pastel redondo de las páginas 28-30.

CUBRIR DE FONDANT EL PASTEL

Amasa el fondant verde lima hasta formar una pasta maleable y luego extiéndelo hasta alcanzar un grosor de 3 mm.

Sigue las instrucciones sobre cómo cubrir un pastel redondo de las páginas 32-34.

Cuando el fondant aún esté blando, marca la tapa como se explica a continuación.

MARCAR LA TAPA

Coloca una base redonda de 22 cm encima del pastel. Marca el fondant alrededor del borde de la base con una herramienta de decoración (foto 1) para grabar el borde exterior de la tapa.

Para que la tapa parezca real, repite el proceso con una base y una plantilla de 18 cm, de 13 cm y de 7,5 cm. Así dará la impresión de que se trata de una tapa con una ligera forma abovedada.

Coloca el pastel sobre la base de presentación hacia atrás, dejando espacio para las figuritas (no coloques el pastel justo en el centro de la base).

HACER EL TIRADOR DE LA TAPA

Forma una bola suave con el fondant negro y moldéala como un tirador con la ayuda de los dedos (foto 2).

Si quieres puedes utilizar el lomo de un cuchillo para hacer un dibujo entrecruzado en la parte superior del tirador.

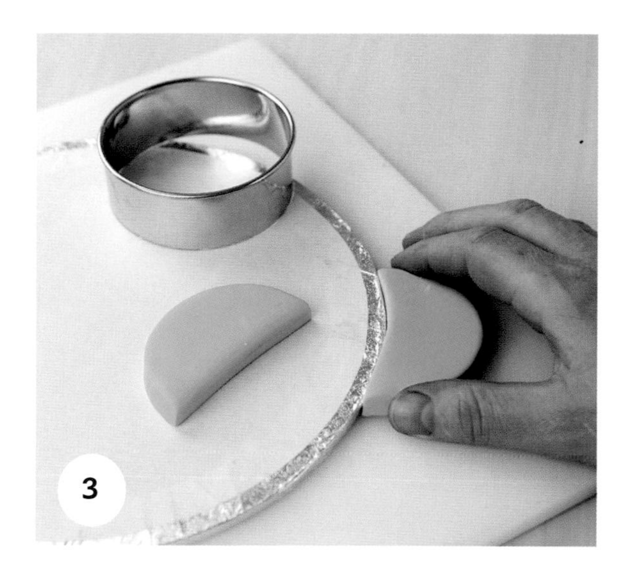

HACER LAS ASAS DE LA CACEROLA

Extiende la bola de 100 g de fondant verde lima hasta alcanzar un grosor de 1 cm.

Utiliza un cortador circular de 8 cm para recortar un círculo. Corta el círculo por la mitad: cada mitad será una de las asas.

Coloca las asas en los laterales de la base y moldéalas para que se ajusten a la curva de la base (foto 3). Si utilizas la base para dar forma a las asas, te asegurarás de que luego se ajusten perfectamente a los lados de tu pastel. Déjalas secar.

Cuando las asas se hayan endurecido, aplica un poco de agua con un pincel sobre los bordes interiores y pégalas a los lados de la cacerola.

HACER EL FUEGO

Mezcla parcialmente el fondant rojo, amarillo y naranja para conseguir un efecto veteado (consulta la técnica sobre el efecto jaspeado en la página 180).

Extiende cuidadosamente el fondant hasta alcanzar un grosor de 2 mm. Con la ayuda de un cuchillo afilado o un cortador de pizza, corta el fondant en piezas triangulares de diferentes tamaños, imitando las llamas (foto 4).

Pincela con agua la parte inferior del pastel y pega las llamas, superponiéndolas ligeramente a medida que las vas pegando.

ESCRIBIR EL MENSAJE

Amasa el fondant de color opcional hasta formar una pasta maleable y luego extiéndelo hasta conseguir un grosor de 1 mm.

Corta tu mensaje con la ayuda de los cortadores del alfabeto. Aplica con un pincel un poco de agua en el dorso de las letras y pégalas en la base del pastel.

PARED DE GRAFITI

Este pastel hace mucho efecto porque es alto y te permite escribir el mensaje que quieras en la parte frontal para que resulte más impactante. El diseño es perfecto para todas las edades, y los colores pueden cambiarse según los gustos. Por ejemplo, una pared marrón para crear un efecto más realista, una pared roja para los niños, o simplemente una pared blanca para un pastel más sencillo. A la hora de elegir el mensaje, la mejor opción es una sola palabra breve, porque así puedes emplear un tamaño de letra más grande. Lo mejor de este pastel es lo bien que se deja fotografiar, ya que es alto y aprovecha muy bien la base para crear un «escenario». También combina estupendamente con casi todas las figuritas de este libro, desde los superhéroes hasta los perros deportistas, sin olvidar todas las demás.

QUÉ NECESITAS

MATERIAL

600 g de fondant verde (base de presentación)
1 pastel cuadrado de 20 cm
1,2 kg de ganache
100 ml de sirope
Harina de maíz (maicena) tamizada
1,5 kg de fondant marrón (pastel)
100 g de fondant de color opcional (grafiti)

UTENSILIOS

Herramientas para aplicar la ganache
Rasqueta de plástico/metal
Espátula acodada
Cuchillo de sierra
Base rectangular de 10 x 20 cm (montaje)
Base cuadrada de 35 cm (presentación)
Rodillo de amasar grande y pequeño
Alisador
Cuchillo de cocina afilado pequeño
Raspador flexible
Pincel de repostería
Pincel mediano
Regla
Papel de hornear
Lápiz 2B
Tijeras
Alfiler (opcional)
Máquina de pasta (opcional)
Cortadores del alfabeto (opcional))

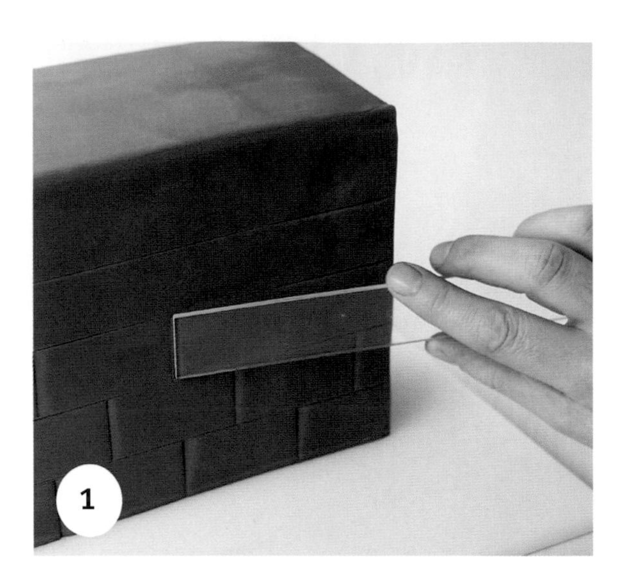

CUBRIR LA BASE DE PRESENTACIÓN

Amasa el fondant verde hasta formar una pasta maleable y luego extiéndelo hasta alcanzar un grosor de 3 mm. Sigue las instrucciones sobre cómo cubrir la base de presentación de la página 181.

DAR FORMA Y EXTENDER LA GANACHE

Sigue las instrucciones generales sobre cómo preparar y extender la ganache en un pastel en forma de pared de la página 36.

CUBRIR DE FONDANT EL PASTEL

Amasa el fondant marrón hasta formar una pasta maleable y luego extiéndelo hasta alcanzar un grosor de 3 mm. Sigue las instrucciones sobre cómo cubrir un pastel en forma de pared de las páginas 37-38.

Mientras el fondant esté blando, utiliza una regla para grabar los ladrillos en la pared (foto 1).

Deja que se seque el fondant durante aproximadamente una hora y luego coloca el pastel sobre la base de presentación.

HACER LAS PLANTILLAS DEL GRAFITI

Con la ayuda de una fotocopiadora, amplía la plantilla del grafiti «Stomper» que aparece en la página de al lado. Dibuja la plantilla sobre una hoja de papel de hornear con un lápiz 2B.

También puedes hacer tu propia plantilla, por ejemplo, con el nombre de la persona que va a cumplir años. Con la ayuda de tu ordenador puedes elegir la fuente que más te guste y crear un mensaje del tamaño que desees utilizando las letras que quieras.

Otra opción es utilizar simplemente los cortadores del alfabeto para escribir el grafiti.

COLOCAR EL GRAFITI

Amasa el fondant de color opcional hasta formar una pasta maleable y estírala hasta alcanzar un grosor de 1 mm.

Coloca la plantilla del grafiti sobre el fondant y resigue la plantilla. De esta forma dejarás una marca sobre el fondant. Retira la plantilla y luego recorta la imagen del grafiti con un cuchillo pequeño y afilado (foto 2).

Aplica con un pincel un poco de agua en el dorso de las letras y pégalas en la pared o en la base del pastel.

PLANTILLA AL 50 %

CEMENTERIO

De todos los pasteles, este es el más mugriento y el más sencillo de hacer. No está recubierto de fondant (de hecho, la «mugre» que tiene encima en realidad son migas de pastel). La forma abovedada es relativamente fácil de hacer, y le puedes dar forma con toda libertad de un modo muy sencillo. Eso sí, como cementerio espeluznante que se precie, es terrorífico, y combina muy bien con figuritas que podrían encontrarse por el suelo, como los conejos ninja acompañados de algunas zanahorias, los perros deportistas o incluso el bebé dragón. Este es un pastel muy versátil, y realmente está delicioso. Si quieres que el pastel sea de color marrón, deberás emplear un pastel de chocolate; los pasteles blancos recubiertos de ganache de chocolate también son una alternativa excelente. Si vas a hacer los trocitos del Señor Azúcar, el pastel Red velvet (pág. 25) constituye una excelente elección.

QUÉ NECESITAS

MATERIAL

600 g de fondant verde oscuro (base de presentación)
1 pastel redondo de 22 cm
1,5 kg de ganache
100 ml de sirope
Harina de maíz (maicena) tamizada
200 g de ganache de chocolate (intestinos)
3 cucharadas de gel para decorar
100 g de glasa real roja
200 g de fondant de color opcional (mensaje)

UTENSILIOS

Herramientas para aplicar la ganache
Rasqueta de plástico/metal
Espátula acodada
Cuchillo de sierra
Base redonda de 25 cm (montaje)
Base redonda de 35 cm (presentación)
Rodillo de amasar grande y pequeño
Alisador
Cuchillo de cocina afilado pequeño
Raspador flexible
Pincel de repostería
Pincel mediano
Papel de hornear
Bolsa para manga pastelera
Boquilla lisa de 1 cm
Cortadores del alfabeto

CUBRIR LA BASE DE PRESENTACIÓN

Amasa el fondant verde oscuro hasta formar una masa maleable y luego extiéndelo hasta que tenga un grosor de 3 mm. Cubre la base de presentación siguiendo las instrucciones de la página 181.

DAR FORMA AL PASTEL Y EXTENDER LA GANACHE

Sigue las instrucciones generales sobre cómo preparar y rellenar de ganache un pastel abovedado en las páginas 39-40. Sin embargo, en lugar de utilizar todos los trozos de pastel cortados para hacer la bóveda, reserva 1 taza y ½ de trozos y desmígalos sobre un plato formando una capa fina. Déjalo a temperatura ambiente durante 1 o 2 horas para que se sequen las migas. Esta preparación la utilizarás para cubrir el pastel, creando el efecto de «tierra». Deja que se seque el pastel y luego colócalo sobre la base de presentación.

ESPOLVOREAR EL PASTEL CON MIGAS

Recubre la superficie vacía de la base con papel de hornear para impedir que se ensucie. En lugar de cubrir el pastel con fondant, desmenuza las migas secas sobre el pastel imitando la tierra (foto 1). La parte superior es la más importante, pues normalmente es donde se colocan las figuritas.

HACER EL BORDE CON INTESTINOS

Mezcla la ganache de chocolate con la glasa real y el gel para decorar, pero sin llegar a mezclarlo completamente, pues lo que buscamos es un efecto veteado.

Utilizando una bolsa para manga pastelera con una boquilla lisa de 1 cm, aplica la mezcla de ganache creando un borde alrededor de la base del pastel (foto 2). No existen reglas sobre qué aspecto debería tener el borde.

ESCRIBIR EL MENSAJE

Amasa el fondant de color opcional hasta obtener una masa maleable y a continuación extiéndelo hasta alcanzar un grosor de 1 mm.

Corta tu mensaje con la ayuda de los cortadores del alfabeto. Aplica con un pincel un poco de agua en el dorso de las letras y pégalas en la base del pastel.

EL HOMBRE EN LA LUNA

Este es uno de los diseños más sencillos del libro, y también uno de los más resultones. Los pasteles de luna se prestan a temas fantásticos o del espacio, pero los personajes que lucirán más en este pastel son sin duda los superhéroes. Diviértete con los colores: una luna roja puede ser un estupendo planeta Marte para personajes desternillantes como los Videonuts o los pulpos hiphoperos. Una luna gris, más realista, será estupenda para los Stompers astronautas. Incluso puedes teñir tus Stompers de blanco para que parezca que van vestidos con trajes espaciales. Si quieres simplificar la decoración, los ojos, la boca y la nariz son detalles opcionales.

QUÉ NECESITA

MATERIAL

600 g de fondant negro (base de presentación)
1 pastel redondo de 22 cm
1,2 kg de ganache
100 ml de sirope
Harina de maíz (maicena) tamizada
20 g de fondant amarillo (nariz)
1,5 kg de fondant amarillo (pastel)
10 g de fondant blanco (ojos)
5 g de fondant negro (ojos)
20 g de fondant rojo (boca)
200 g de fondant de color opcional (mensaje)

UTENSILIOS

Herramientas para aplicar la ganache
Rasqueta de plástico/metal
Espátula acodada
Cuchillo de sierra
Base redonda de 25 cm (montaje)
Base redonda de 35 cm (presentación)
Rodillo de amasar grande y pequeño
Alisador
Cuchillo de cocina afilado pequeño
Esteca de bola
Raspador flexible
Papel de hornear
Pincel de repostería
Pincel mediano
Cortadores del alfabeto
Herramienta de decoración
Lápiz 2B
Tijeras

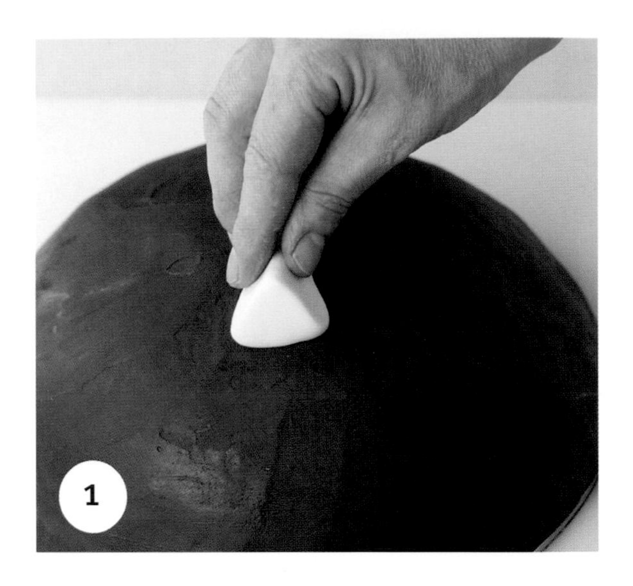

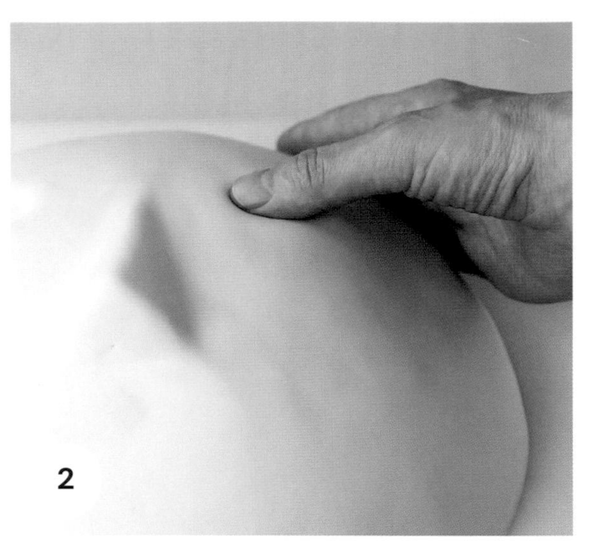

CUBRIR LA BASE DE PRESENTACIÓN

Amasa el fondant negro hasta formar una masa maleable y luego extiéndelo hasta que tenga un grosor de 3 mm. Cubre la base de presentación siguiendo las instrucciones de la página 181.

DAR FORMA AL PASTEL Y EXTENDER LA GANACHE

Sigue las instrucciones generales sobre cómo preparar y rellenar de ganache un pastel abovedado en las páginas 39-40.

DAR FORMA A LA NARIZ

Forma una bola lisa y sin grietas con el trozo de 20 g de fondant amarillo y moldéala en forma de nariz. No existen normas estrictas sobre cómo hacerlo: la nariz puede tener la forma y el tamaño que quieras.

Pega la nariz sobre el pastel cubierto de ganache con una pincelada de agua (foto 1), alisando las marcas de unión entre la nariz y la luna con la ayuda de los dedos. Es necesario que hagas este paso antes de cubrir el pastel con fondant.

CUBRIR DE FONDANT EL PASTEL

Amasa los 1,5 kg de fondant amarillo hasta formar una pasta maleable y luego extiéndelo hasta alcanzar un grosor de 3 mm.

Sigue las instrucciones sobre cómo cubrir un pastel abovedado de las páginas 40-41. Utiliza el raspador flexible para alisar el fondant sobre la bóveda.

HACER LOS OJOS

Utilizando el pulgar o el dorso de una esteca de bola, haz dos cavidades que serán las cuencas de los ojos de la luna (foto 2).

Forma dos bolas pequeñas con el fondant blanco y luego aplánalas entre los dedos.

Aplica una pizca de agua con un pincel en el dorso y coloca los ojos blancos en las cuencas.

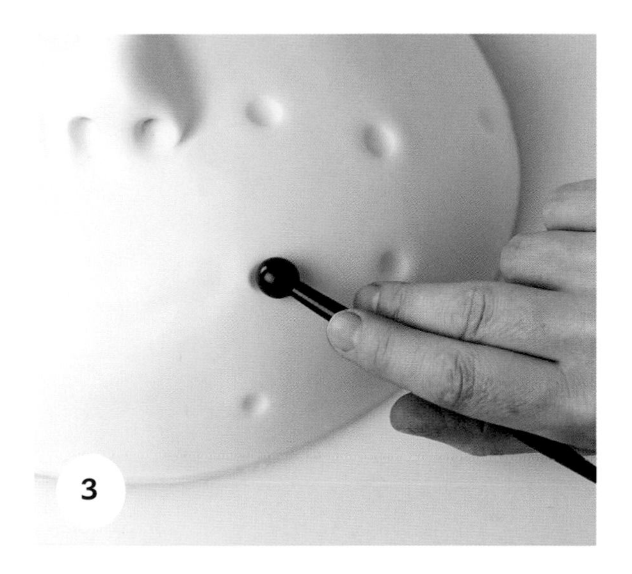

3

4

Forma dos bolas más pequeñas con el fondant negro y luego colócalas sobre los ojos con una pincelada de agua para formar las pupilas.

HACER LOS AGUJEROS DE LA NARIZ

Utiliza la herramienta de decoración para hacer los agujeros de la nariz.

MARCAR LOS CRÁTERES

Con la ayuda de la esteca de bola, practica hendiduras superficiales por todo el pastel, imitando la cara de la luna (foto 3).

HACER LA BOCA

Dibuja una plantilla sencilla en forma de boca. Extiende la bola de fondant rojo hasta alcanzar un grosor de 2 mm.

Dibuja la plantilla de la boca sobre papel de hornear con un lápiz 2B.

Recorta la forma de la boca y colócala sobre el fondant rojo. Con la ayuda de un cuchillo pequeño y afilado, recorta la forma de boca del fondant (véase la foto 3 de la página 59).

Utiliza el lomo de un cuchillo para grabar una línea en medio de la boca, recreando la línea de unión entre el labio superior y el inferior (foto 4).

Pega la boca en la luna trazando una línea de agua fina.

ESCRIBIR EL MENSAJE

Amasa el fondant de color opcional hasta obtener una masa maleable y a continuación extiéndelo hasta alcanzar un grosor de 1 mm.

Corta tu mensaje con la ayuda de los cortadores del alfabeto.

Aplica con un pincel un poco de agua en el dorso de las letras y pégalas en la base del pastel.

RING DE ARTES MARCIALES

Este pastel es muy sencillo y todos los colores se pueden adaptar. Recomiendo cambiar el color del cinturón de artes marciales en función del nivel que posea el destinatario del pastel. Sin embargo, un cinturón negro puede ser siempre una gran motivación. Saliendo un poco del tema, este pastel también podría convertirse en una escena de picnic... A los osos de peluche les encantaría reunirse aquí para tomar sándwiches y té. Solo tienes que recortar los extremos del cinturón a ras de la base del pastel, incluso puedes cambiar el color del pastel y hacerlo en verde, y la base de presentación también, si quieres. ¡Listo! Ya tienes una colina verde con un mantel para picnic. Si tienes problemas con las rasgaduras en el fondant, recuerda que puedes cubrirlas con estrellas o con otras decoraciones recortadas.

QUÉ NECESITAS

MATERIAL

600 g de fondant azul (base de presentación)
1 pastel redondo de 22 cm
1,2 kg de ganache
100 ml de sirope
Harina de maíz (maicena) tamizada
1,5 kg de fondant blanco (pastel)
150 g de fondant negro (cinturón)
150 g de fondant rojo (colchoneta)
100 g de fondant de color opcional (mensaje)

UTENSILIOS

Herramientas para aplicar la ganache
Rasqueta de plástico/metal
Espátula acodada
Cuchillo de sierra
Base redonda de 22 cm (montaje)
Base redonda de 35 cm (presentación)
Rodillo de amasar grande y pequeño
Alisador
Cuchillo de cocina afilado pequeño
Raspador flexible
Pincel de repostería
Pincel mediano
Cinta métrica
Regla
Marcador de costuras
Una hoja pequeña de vinilo o plástico
Cortadores del alfabeto (opcional)
Máquina de pasta (opcional, para estirar el fondant)

CUBRIR LA BASE DE PRESENTACIÓN

Amasa el fondant azul hasta formar una pasta maleable y luego extiéndelo hasta alcanzar un grosor de 3 mm. Sigue las instrucciones sobre cómo cubrir la base de presentación de la página 181.

EXTENDER LA GANACHE EN EL PASTEL

Sigue las instrucciones generales sobre cómo preparar y extender la ganache en un pastel redondo de las páginas 28-30.

CUBRIR DE FONDANT EL PASTEL

Amasa el fondant blanco hasta formar una pasta maleable y luego extiéndelo hasta alcanzar un grosor de 3 mm. Sigue las instrucciones sobre cómo cubrir un pastel redondo de las páginas 32-34. Deja que se seque el fondant y luego coloca el pastel sobre la base de presentación.

HACER EL CINTURÓN

Amasa el fondant negro hasta formar una pasta maleable y luego emplea uno de los dos métodos siguientes para confeccionar el cinturón.

Opción 1

Mide la circunferencia del pastel con una cinta métrica y añade 5 cm a la longitud obtenida.

Extiende el fondant con un rodillo hasta un poco más de su longitud, dándole una forma más o menos rectangular.

Con la ayuda de una regla, corta el fondant a la medida obtenida formando una tira larga de unos 2,5 cm de anchura.

Utilizando el marcador de costuras, graba cada lado de la tira imitando las puntadas de un cinturón de artes marciales real (foto 1).

Traza con un pincel una línea de agua alrededor de la base del pastel. Envuelve cuidadosamente la base del pastel con el cinturón, de modo que la cinta se una en la parte frontal.

Opción 2

Mide la circunferencia del pastel con una cinta métrica y añade 5 cm a la longitud obtenida. Asegúrate de que la anchura sea unos 2,5 cm más ancha que la anchura de la regla.

Traza con un pincel una línea de agua alrededor de la base del pastel y rodea cuidadosamente la base del pastel con el cinturón, de modo que la cinta se una en la parte frontal.

A continuación, utiliza la regla como guía para cortar cuidadosamente el borde superior con un cuchillo pequeño y afilado (foto 2).

HACER EL NUDO

Corta dos tiras de fondant negro de 2,5 x 10 cm cada una. Corta una tercera tira de 2,5 x 2,5 cm.

Con la ayuda del marcador de costuras, graba los lados de cada tira imitando un cinturón de artes marciales de verdad. Cubre las tiras con vinilo o plástico para que no se sequen.

Coloca las dos tiras más largas de fondant cruzadas en el punto de unión y sobre la base del pastel, fijándolas con una línea de agua (foto 3).

Utiliza la tira más pequeña de fondant para imitar un nudo. Colócala sobre el punto de unión, donde se encuentra todas las tiras, y fíjala con una línea de agua finita (foto 4).

EXTENDER LA COLCHONETA

Amasa el fondant rojo hasta formar una pasta maleable y luego extiéndelo hasta conseguir unos 2 mm de grosor.

Corta un cuadrado de 18 cm de fondant y colócalo en la parte superior del pastel con una pincelada de agua.

ESCRIBIR EL MENSAJE

Amasa el fondant de color opcional hasta formar una pasta maleable y luego extiéndelo hasta conseguir un grosor de 1 mm.

Corta tu mensaje con la ayuda de los cortadores del alfabeto. Aplica con un pincel un poco de agua en el dorso de las letras y pégalas en la base del pastel.

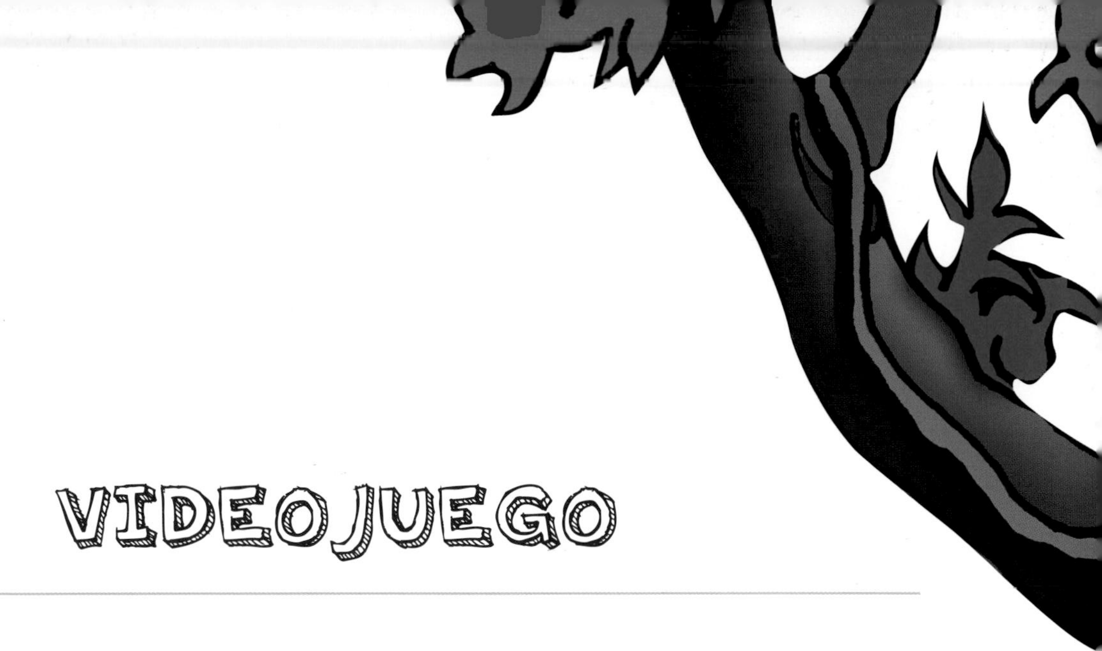

VIDEOJUEGO

Este pastel resulta ideal para el amante de los videojuegos, sobre todo si va coronado por las figuritas de los divertidos Videonuts. La mayoría de imágenes por ordenador utilizan una gran variedad de colores sorprendentes, así que te animo a utilizarlos en este pastel. Verdes lima, azules y rojos quedan fantásticos, pero consulta nuestros consejos de las páginas 178-179 sobre el uso del fondant rojo y negro, si son los colores que elegirías como primera opción. Puedes añadir más detalles al pastel observando los juegos de ordenador que le gustan al destinatario del pastel. O también puedes ir más allá y añadir un mensaje en forma de marcador. Por ejemplo, si el niño que va a recibir el pastel va a cumplir siete años, puedes escribir «NIVEL 7» en el marcador utilizando los cortadores del alfabeto. Un pastel cuadrado constituye un reto mayor que un pastel redondo o abovedado, así que si es tu primer pastel, quizás quieras trasladar este diseño a un pastel redondo. Sin embargo, la decoración es muy sencilla. Todo lo que necesitas son unos colores estupendos y algunas figuritas marchosas.

QUÉ NECESITAS

MATERIAL

600 g de fondant azul o púrpura (base de presentación)
1 pastel cuadrado de 20 cm
1,2 kg de ganache
100 ml de sirope
Harina de maíz (maicena) tamizadas
1,5 kg de fondant negro (pastel)
100 g de fondant azul o púrpura (borde)
100 g de fondant azul o púrpura (laberinto)
200 g de fondant blanco (bolitas del laberinto)
100 g de fondant de color opcional (mensaje)

UTENSILIOS

Herramientas para aplicar la ganache
Rasqueta de plástico/metal
Espátula acodada
Cuchillo de sierra
Base cuadrada de 20 cm (montaje)
Base cuadrada de 35 cm (presentación)
Rodillo de amasar grande y pequeño
Alisador
Cuchillo de cocina afilado pequeño
Raspador flexible
Pincel de repostería
Pincel mediano
Pistola de modelar (opcional)
Cortadores del alfabeto

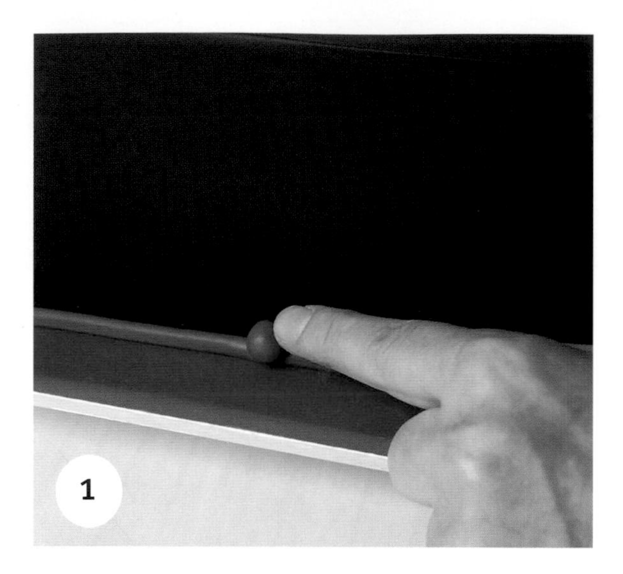

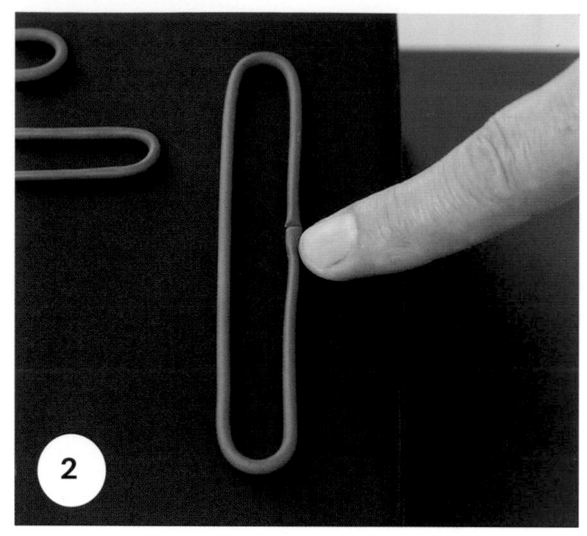

CUBRIR LA BASE DE PRESENTACIÓN

Amasa los 600 g de fondant azul o púrpura hasta formar una pasta maleable y luego extiéndelo hasta conseguir un grosor de 3 mm. Sigue las instrucciones sobre cómo cubrir la base de presentación de la página 181.

CUBRIR DE GANACHE EL PASTEL

Sigue las instrucciones generales sobre cómo preparar y rellenar de ganache un pastel cuadrado en la página 31.

CUBRIR EL PASTEL DE FONDANT

Amasa el fondant negro hasta formar una masa maleable y luego extiéndelo hasta alcanzar un grosor de 3 mm. Sigue las instrucciones sobre cómo cubrir un pastel cuadrado de la página 35.

HACER EL BORDE

Amasa los 100 g de fondant azul o púrpura hasta formar una pasta maleable. Con la ayuda de un alisador de fondant, forma con el fondant un rulo fino (véase la pág. 183) lo suficientemente largo como para rodear la base del pastel.

Traza con el pincel una línea de agua en la base del pastel. Coloca cuidadosamente el rulo de fondant alrededor de la base del pastel.

Utiliza una bolita de fondant para cubrir el punto de unión (foto 1) y luego aplana cuidadosamente el fondant contra el pastel.

MARCAR EL LABERINTO

Amasa los otros 100 g de fondant azul o púrpura hasta formar una pasta maleable y, a continuación, forma rulos de diferentes longitudes y tamaños para crear tu laberinto. El laberinto puede tener la forma que desees.

Traza líneas de agua con el pincel sobre la superficie del pastel allí donde desees colocar el laberinto. Coloca cuidadosamente los rulos en la posición deseada. Corta limpiamente las líneas de unión y alísalas con la ayuda de los dedos (foto 2).

Nota: Si tienes una pistola de modelar, utilízada para hacer los rulos del laberinto. Ahorrarás tiempo y te asegurarás de que todos los rulos tengan el mismo grosor.

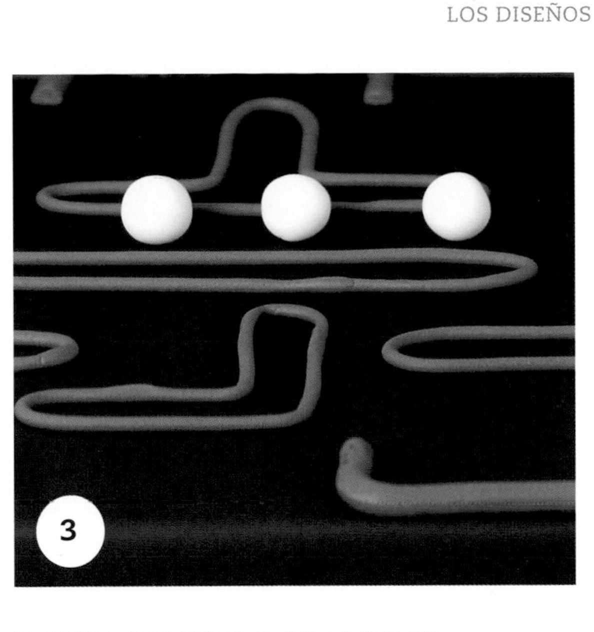

HACER ALGUNAS BOLAS DEL LABERINTO

Amasa el fondant blanco hasta formar una masa maleable. Con la ayuda de tu alisador, forma un rulo y córtalo con un cuchillo en trozos regulares. Forma una bolita con cada trozo y pégalas sobre la superficie del pastel con una pincelada de agua (foto 3).

ESCRIBIR EL MENSAJE

Amasa el fondant de color opcional hasta formar una pasta maleable y luego extiéndelo hasta conseguir un grosor de 1 mm.

Corta tu mensaje con la ayuda de los cortadores del alfabeto. Aplica con un pincel un poco de agua en el dorso de las letras y pégalas en la base del pastel.

CAPA DE NIEVE

Cuando me imagino el cielo, siempre lo veo blanco, blando, esponjoso y maravilloso, como este sencillo pastel. Este pastel utiliza la crema de mantequilla italiana de la página 176. También puedes utilizar la receta de crema de mantequilla y vainilla de la página 177, pero el pastel no quedará tan blanco.

QUÉ NECESITAS

MATERIAL
1 pastel redondo de 22 cm
5 tazas de crema de mantequilla italiana

UTENSILIOS
Espátula acodada
Cuchillo de sierra
Plato de presentación o expositor de pasteles de 35 cm
Cuchillo de cocina pequeño y afilado
Papel de hornear

PREPARAR EL PASTEL

Recorta la parte superior del pastel con un cuchillo de sierra para obtener una superficie lista. Sigue las instrucciones generales de la página 28 y corta el pastel en tres capas regulares. Aplica crema de mantequilla sobre la capa inferior y la capa media del pastel y colócalas una encima de la otra. Coloca el pastel en un plato de presentación o expositor de pasteles. Para que quede pulcro, coloca tiras de papel de hornear debajo del pastel antes de glasearlo.

SELLAR LAS MIGAS DEL PASTEL

Extiende una capa fina de crema de mantequilla sobre el pastel para sellar las migas. Déjalo enfriar durante 30 minutos para impedir que las migas se abran camino a través de la capa de crema de mantequilla.

GLASEAR EL PASTEL

Coge la espátula y acumula toda la crema de mantequilla restante sobre la parte superior del pastel. A continuación, empieza a desplazar la crema de mantequilla hacia los laterales del pastel. Puedes darle una textura más rugosa o más lisa, según prefieras. Retira cuidadosamente las tiras de papel de horneado antes de servir el pastel.

LAS
FIGURITAS

¡HOLA, CHICOS!

¿Habéis trabajado alguna vez con plastilina o con el Lego? Pues hacer figuritas para pasteles es muy parecido, lo único que cambia es que la haces con azúcar.

El azúcar que se utiliza se llama fondant, y es el mismo fondant que recubre los pasteles. El fondant se maneja exactamente igual que la plastilina, pero puedes hacerlo del color que quieras, y es comestible, así que puedes poner tus creaciones encima de un pastel.

Aquí tienes unos cuantos secretos para conseguir hacer las mejores figuritas.

PASO 1

Dile a un adulto la mar de simpático que te ayude a conseguir los materiales que vas a necesitar. Déjale que te ayude con todas las instrucciones, e incluso puede hacer el pastel sobre el que colocarás tus fantásticas figuritas.

PASO 2

Conviértete en un diseñador de pasteles.

- Piensa bien cuál es el objetivo del pastel. El secreto de los pasteles mágicos es intentar hacer un pastel único para cada persona. Eso significa que hay que pensar en lo que le podría gustar a cada persona. ¿Sabes si esa persona tiene una afición especial o un color favorito?
- Decide qué figuritas quieres hacer antes de empezar. Puedes elegir las figuritas que te gusten más de este libro, o incluso inventarte otras nuevas.
- Una vez hayas decidido qué personajes deseas hacer, puedes decidir cuáles son sus nombres, si son malos o buenos, si están contentos, o enfadados, o dormidos, o haciendo lo que tú quieras. Estás creando tu propia historia, esto es lo más importante a la hora de crear figuritas maravillosas.
- Habla con un adulto sobre el diseño del pastel que has elegido para poner las figuritas.

PASO 3

Conviértete en un artista de los pasteles.

- Con la ayuda de un adulto, sigue las instrucciones para hacer tus propias figuritas para pasteles y teñir el fondant.
- Pesa todas las piezas de tus figuritas y resérvalas. Esto es importante si no quieres tener piernas demasiado largas, o cabezas demasiado pequeñas. Las cantidades deben ser exactas.
- A continuación, arma tus figuritas, pieza por pieza. Deberás emplear diferentes utensilios, como por ejemplo, un cuchillo y, por supuesto, tus dedos.

PASO 4

La habilidad final que necesitas para hacer que tus figuritas para pasteles sean muy especiales es tu **imaginación.** Las figuritas para pasteles son tus propias creaciones, tú eres quien decide qué aspecto tendrán exactamente: es como hacer que un cuento se convierta en realidad.

Y ahora… ¡vamos a empezar!

Medidas del fondant

Verás que en las listas de materiales, generalmente usamos 3 medidas de bolas de fondant: 5 mm, 10 mm y 15 mm. Para que no necesites medirlas cada vez, puedes calcular que 5 mm es aproximadamente el tamaño de un guisante, 10 mm el de un cacahuete, y 15 mm el de una uva.

NOTAS PARA LOS ADULTOS

Las figuritas de este libro han sido creadas para que se puedan personalizar, mejorar o transformar. Sin embargo, para conseguir unos resultados excelentes, he aquí algunas normas estrictas.

Cuando confecciones las figuritas con los niños, anímalos a improvisar: las figuritas son una forma fantástica de contar historias. Diles que pongan nombre a sus figuritas, que piensen para quién las hacen y por qué.

Los niños conectan muy bien con los sentimientos, así que será estupendo si pueden hacer un monstruo «feliz» o «malo» en lugar de un «monstruo» a secas, pues esto les estimulará para utilizar la imaginación.

TEÑIR EL FONDANT

Consulta las páginas 178-179 para ver cómo se tiñe el fondant. Recuerda que los colorantes en pasta son más concentrados y dan unos colores más intensos que los colorantes alimentarios líquidos.

MEZCLAR EL FONDANT CON TYLOSE

Una vez hayas teñido el fondant, mezcla las cantidades grandes con polvo Tylose (véase el glosario de la página 173) para asegurar que el fondant se endurecerá al secarse.

Las cantidades más pequeñas, como las utilizadas solo para hacer los ojos o las orejas, no es preciso mezclarlas con Tylose. Sin embargo, utilízalo para los elementos estructurales de las figuritas, como el cuerpo, los brazos y las piernas (las piezas podrían caerse). Esto es especialmente importante si el clima es caluroso y húmedo.

Añade el Tylose antes de pesar el fondant. Las cantidades no son una ciencia exacta. Para una pieza de fondant del tamaño de una pelota de golf, la hacemos rodar sobre Tylose y luego lo mezclamos. Recuerda: se puede añadir, pero no se puede eliminar.

Otra fórmula para agregarlo a grandes cantidades de fondant es 1 cucharada de Tylose por cada 450 g de fondant.

PROGRAMACIÓN DEL TIEMPO

Haz tus figuritas por lo menos un día antes de decorar el pastel, especialmente si no utilizas Tylose, para darles el tiempo necesario para que se sequen. De hecho, las figuritas se pueden hacer con semanas de antelación. Sin embargo, si vas a colocar las figuritas en un pastel glaseado con crema de mantequilla, hazlo en el último momento.

TRABAJAR SIEMPRE A PARTIR DE UNA BOLA

Una bola lisa y sin grietas es el mejor punto de partida para todas las formas diferentes que deberás crear con el fondant Así también te aseguras de haber amasado el fondant y de que está caliente, suave y maleable, para que resulte fácil de modelar.

EL SOPORTE DE LAS FIGURITAS

Utiliza espaguetis secos como soporte para las cabezas, las extremidades y las figuritas de pie. Si el pastel es solo para adultos, los palillos de dientes son otra posibilidad.

COLOCAR LAS FIGURITAS

Puedes colocar las figuritas sobre el pastel con una pincelada de agua, o bien utilizar espaguetis secos para aguantarlas.

GUARDAR LAS FIGURITAS

Guarda tus figuritas en un lugar fresco y seco, pero no en el refrigerador, puesto que «sudarán» y será imposible manejarlas. Es necesario mantenerlas secas y lejos de la luz solar. También hay que ir con cuidado con la humedad.

LOS VIDEONUTS

Un día de lluvia tuve un arranque de locura: me dio la vena creativa y me puse a inventar mis propios personajes de videojuego: los Videonuts. Lo mejor de inventarte tus propios personajes es que les puedes otorgar talentos y habilidades especiales que te encantaría poseer. Por eso no existe ningún otro héroe del mundo del videojuego que prefiera tener a mi lado en lugar de estos fantásticos amigos.

Son los campeones del mundo mundial: saltan, destellan, dan la voltereta hacia atrás, giran y brincan durante todo el juego, haciendo picadillo a ristras enteras de enemigos como quien pica cebollas. También son unos verdaderos monstruos, y con las extremidades en forma de garra de sus puños machacan a sus oponentes una y otra vez sin descanso.

Los Videonuts son los personajes de un videojuego en el que se pasean por un laberinto comiendo puntitos blancos. Cuando se han comido todos los puntos blancos del primer nivel, pasan al segundo nivel, donde se enfrentan a nuevos desafíos. Sostienen la mirada a sus enemigos con su ojo locuelo y los mastican ruidosamente entre los colmillos, y siempre ganan.

Si conoces a alguien que adore los videojuegos, estos personajes son ideales. También puedes crear tus propios personajes de videojuego utilizando el color de fondant que más te guste. Estoy segura de que tendrás ideas mucho mejores que la mía. Los videojuegos son fantásticos y sus posibilidades son ilimitadas, así que déjate llevar por tu loca imaginación.

QUÉ NECESITAS

UTENSILIOS

Pincel mediano
Bolsa con cierre zip
Esteca de bola
Cuchillo de cocina pequeño
Rodillo de amasar pequeño

MATERIAL PARA 1 VIDEONUT

Polvo Tylose
10 g de fondant de color (base)
70 g de fondant de color (cuerpo)
1 bola de fondant de color de 10 mm (nariz)
1 bola de fondant de color de 5 mm (pelo)
1 bola de fondant de color de 5 mm (oreja)
1 bola de fondant de color de 10 mm (ojos)
1 bola de fondant de color de contraste de 5 mm (ojos)
1 bola de fondant negro de 5 mm (ojos)
1 bola de fondant negro de 10 mm (boca)
1 bola de fondant rojo de 5 mm (boca)
1 bola de fondant blanco de 5 mm (dientes)

TEÑIR EL FONDANT

Mezcla los colores el día anterior si es posible, para conseguir que los colores intensos resulten más fáciles de trabajar. Consulta las páginas 178-179 para ver cómo se tiñe el fondant.

MEDIR Y FORMAR BOLAS

Mide el fondant requerido para cada parte del cuerpo, y con cada porción forma una bola. Guárdalas dentro de una bolsa con cierre zip para que no se sequen.

BASE DEL CUERPO

Haz una bola lisa con los 10 g de fondant y aplánala hasta alcanzar unos 5 mm de grosor.

CUERPO

Asegúrate de que la bola de 70 g de fondant está suave y lisa. Coloca la bola sobre una superficie y aplástala ligeramente por la base. Sin moverla de la superficie de trabajo, moldéala por la base con un movimiento hacia delante y hacia atrás, dándole forma de bombilla (foto 1).

NARIZ

Los rasgos faciales de tus Videonuts son cosa tuya. Cuanto más disparatados sean, mejor.

Para crear una nariz de trompa de elefante, toma una bola de color de 10 mm hasta formar un rulo con un extremo más grueso que el otro. Puede tener la longitud que desees. Recorta el fondant sobrante (foto 2).

Aplana ambos extremos de la trompa con el dedo y luego pega el extremo más grueso a tu Videonut con una pincelada de agua.

PELO

El pelo puede ser tan loco como quieras. Para hacer un cono, toma una bola de color de 5 mm y forma un pequeño rulo. Luego, moldea uno de los extremos en forma de punta. Pégalo a tu Videonut con una pincelada de agua (foto 3).

OREJA

Aplana con los dedos una bola de 5 mm. Haz una hendidura en uno de los lados con el dedo o con una esteca de bola. Pega el lado plano de la oreja en la cabeza con una pincelada de agua (foto 4).

OJOS

Forma dos pequeñas bolas con la bola de color de 10 mm y aplánalas con los dedos. Pégalas a la cara con una pincelada de agua. Forma dos bolas más pequeñas de color contrastado y repite la operación.

Para las pupilas, forma dos bolas pequeñas con la bola negra de 5 mm y aplánalas. Pégalas en la parte superior de cada ojo para formar las pupilas (foto 5).

Nota: Puedes utilizar el fondant de los ojos para formar un ojo grande en lugar de dos ojos pequeños.

BOCA

Boca rugidora: Extiende la bola negra de 10 mm hasta conseguir un grosor de 2 mm. Utiliza un cuchillo pequeño para cortar la forma de la boca que desees: redonda, ovalada, con forma de judía, de cuadrado... Pégala al Videonut con una pincelada de agua. Para hacer los labios, haz con el fondant de color un rulo muy fino y luego pégalo a la línea de unión entre la boca y la cara con una pincelada de agua.

Dientes rectos: Extiende la bola blanca hasta alcanzar los 2 mm de grosor. Córtala en forma de cuadrado. Marca una línea en el cuadrado para crear dos dientes grandes. Pégalos en la boca de tu Videonut con una pincelada de agua (foto 6).

Dientes cilíndricos: Toma bolas blancas del tamaño de granos de arroz y forma cilindros. Presiónalos suavemente para que tengan el dorso plano y puntas puntiagudas o cuadradas.

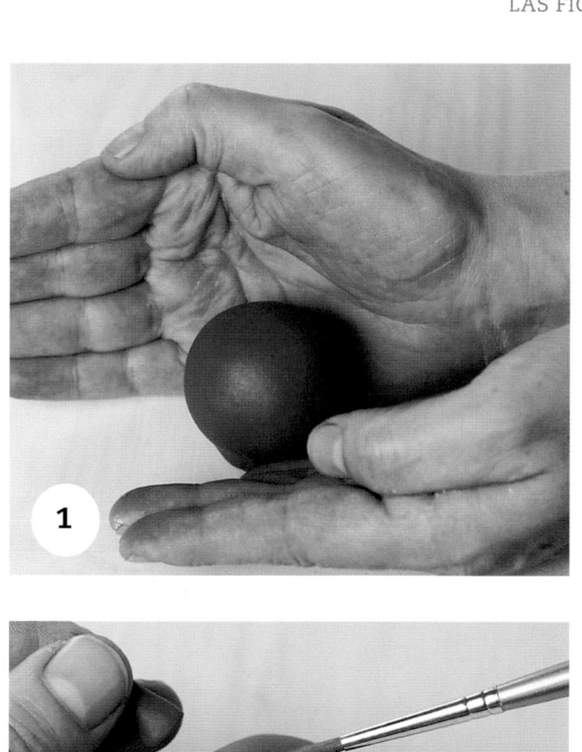
1

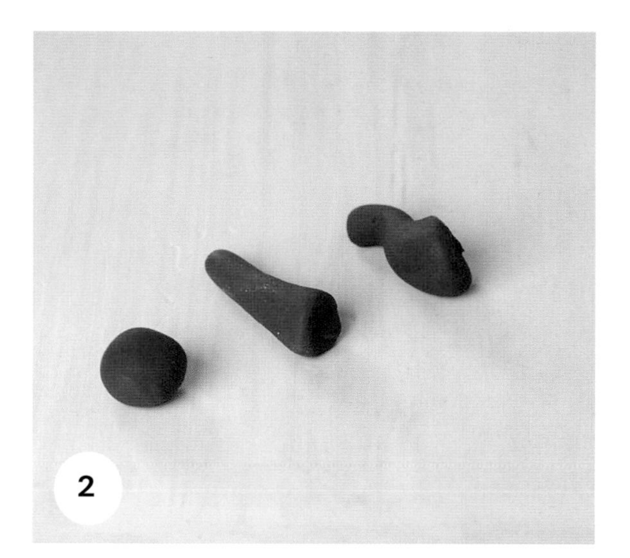
2

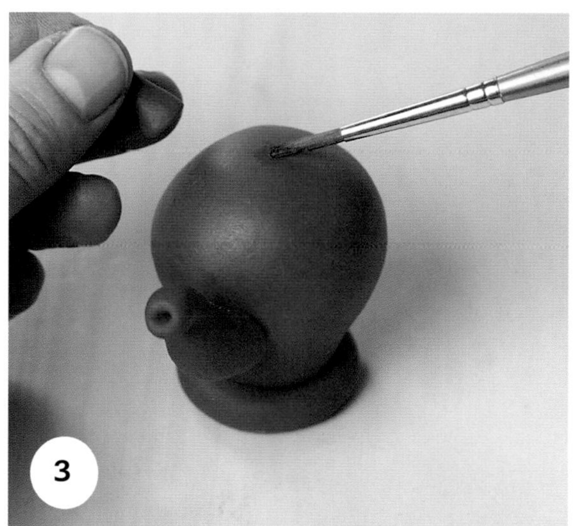
3

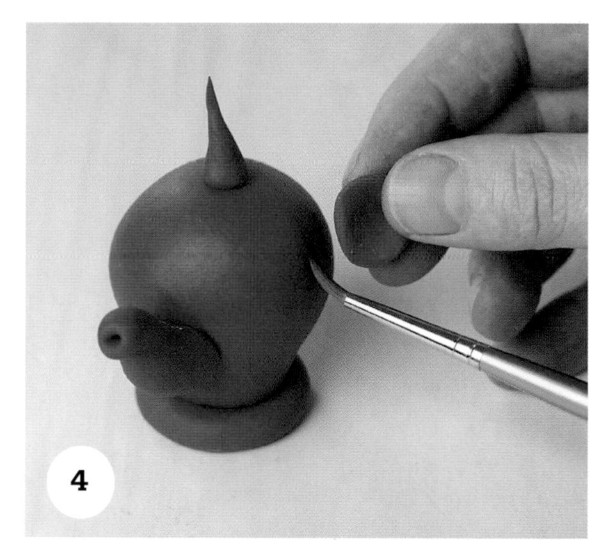
4

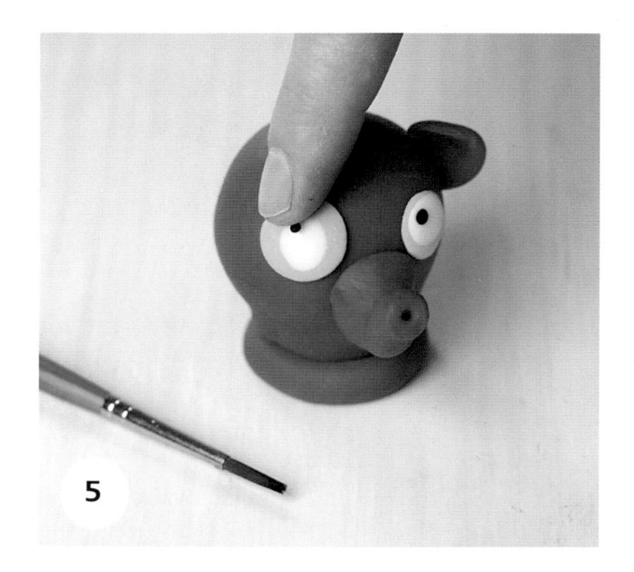
5

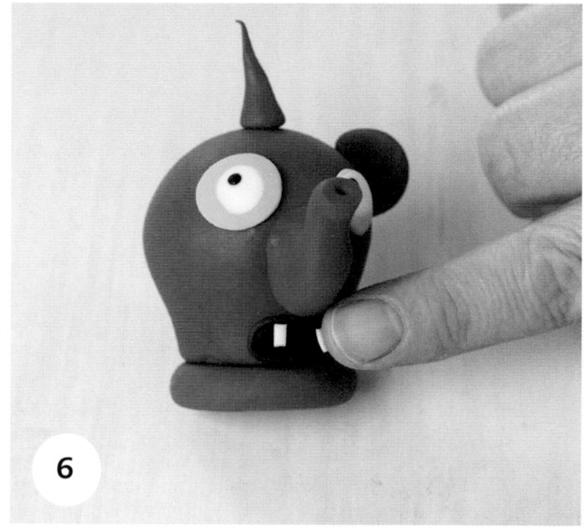
6

EL BEBÉ DRAGÓN

Si te dieran un bebé dragón… ¿te lo quedarías? Siempre había fantaseado con esta idea porque me encantaría tener mi propio bebé dragón. Pero todos los bebés crecen, y podría acabar siendo una mascota más grande que un autobús, y que escupe fuego además. ¡Y no quiero ni pensar en lo que querría desayunar!

Pero si te gustan los cuentos de hadas, los magos, los hechizos o las criaturas fantásticas, un pastel de bebé dragón puede ser un regalo la mar de mágico. Ahora necesitas saber un poco más sobre este dragón en particular. Un dragón rojo como este es un Dragón Bola de Fuego Chino, y eso se sabe no solo porque es rojo, sino porque sus huevos son dorados, y a menudo van acompañados de magos y poseen poderes mágicos.

Pero puede que también te apetezca crear un dragón diferente. Difícil elección: algunos son de buen trato pero otros pueden ser muy violentos. Eso sí, todos poseen talentos fabulosos y habilidades especiales.

Otros dragones diferentes pueden ser el Ojo de ópalo de las Antípodas, según dicen, el más hermoso de todos los dragones. El Dragón Verde Galés es bastante tranquilo, el Dragón Negro Hébrido posee escamas rugosas y unos brillantes ojos púrpura. El Colacuerno Húngaro, la especie más peligrosa, recibe su nombre de los pinchos que recubren toda su cola. Y el Hocicorto Sueco es un dragón de color azul plateado.

Si quieres ofrecer algo mágico a alguien, hazle un pastel de bebé dragón: le encantará. ¡Pero no olvides advertirle de lo que pasará cuando crezca!

QUÉ NECESITAS

UTENSILIOS

Bolsa con cierre zip
Cuchillo de cocina pequeño
Pincel mediano
Herramienta de decoración
Huevo de espuma de poliestireno o molde para huevo de Pascua de chocolate
Rodillo de amasar pequeño

MATERIAL PARA 1 DRAGÓN

Polvo Tylose
20 g de fondant rojo (cuerpo)
8 g de fondant rojo (cola)
12 g de fondant rojo (patas)
8 g de fondant rojo (brazos)
50 g de fondant rojo (cabeza)
1 bola de fondant blanco de 5 mm (ojos)
1 bola de fondant negro de 5 mm (ojos)
1 bola de fondant rojo de 10 mm (alas)
1 bola de fondant blanco de 10 mm (garras)
Espaguetis secos

QUÉ NECESITAS

MATERIAL: HUEVO
100 g de fondant blanco (cáscara de huevo)
Polvo dorado comestible
Alcohol alimentario

TEÑIR EL FONDANT

Mezcla los colores el día anterior si es posible, para conseguir que los colores intensos resulten más fáciles de trabajar. Consulta las páginas 178-179 para ver cómo se tiñe el fondant.

MEDIR Y FORMAR BOLAS

Mide cada porción de fondant requerido para cada parte del cuerpo y luego forma con ella una bola. Guárdalas dentro de una bolsa con cierre zip para que no se sequen.

CUERPO

Empieza por el cuerpo, pues así obtendrás la base para el resto del dragón. Trabaja la bola de 20 g de fondant rojo hasta que esté lisa y sin grietas. Moldéala en tus manos dándole forma de pera y luego colócala con la parte ancha del cuerpo sobre una superficie de trabajo.

Ahora viene la parte divertida: pellizca la espalda del cuerpo del dragón tres veces con los dedos a lo largo de la espina dorsal, para formar los pinchos del dragón (foto 1).

Luego utiliza el lomo de un cuchillo para grabar unas líneas horizontales sobre la barriga del dragón.

COLA

Moldea la bola roja de 8 g para que quede lisa y sin grietas. Dale forma de cono sobre una superficie de trabajo. Pellizca la parte superior del cono cuatro veces, como hiciste para moldear los pinchos de la espalda del dragón.

Alisa el extremo más grueso del cono con el dedo y luego pégalo a la espalda del dragón con una pincelada de agua (foto 2).

PATAS

Moldea la bola roja de 12 g formando un rulo. Con un cuchillo afilado, corta el rulo por la mitad de forma oblicua. Suaviza la articulación (el ángulo) y luego pega las patas al dragón con una pincelada de agua. Moldea la posición de los pies pellizcándolos con los dedos (foto 3).

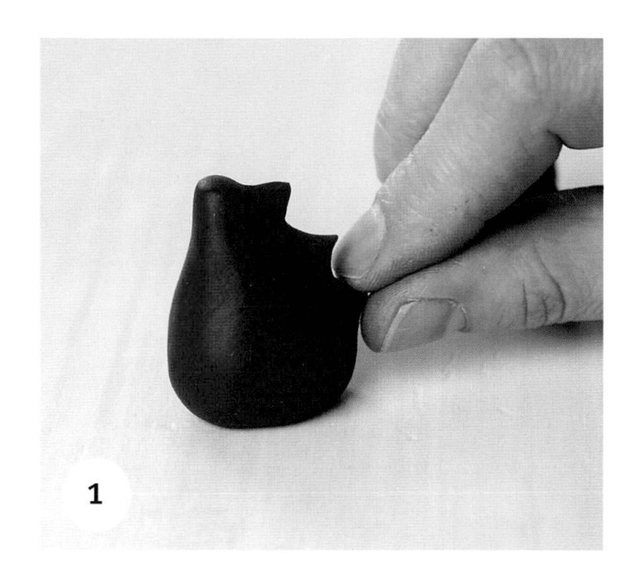
1

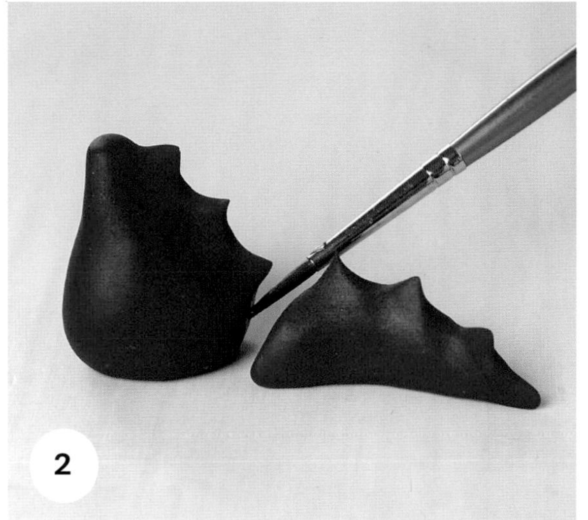
2

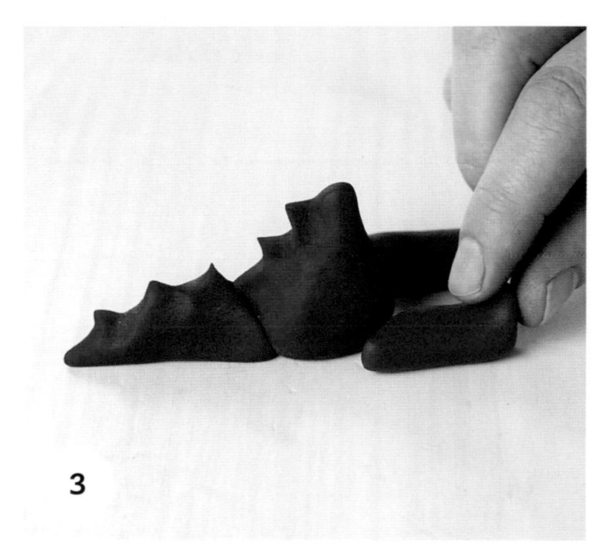
3

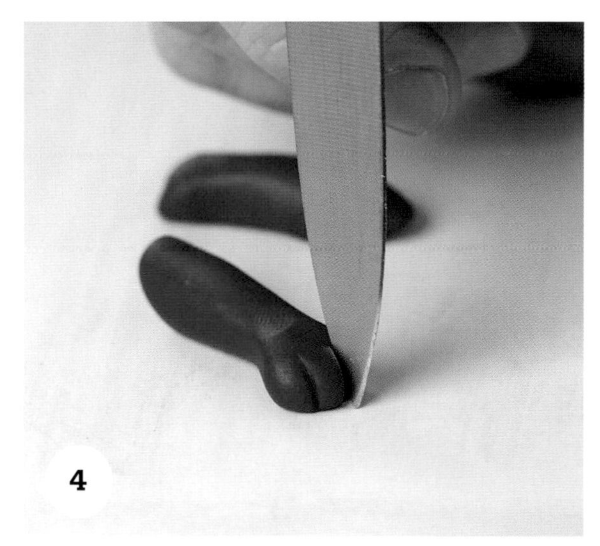
4

5

6

BRAZOS

Moldea la otra bola roja de 8 g formando un rulo. Con un cuchillo afilado, córtalo por la mitad formando un ángulo oblicuo. Con el lomo del cuchillo, graba dos líneas al final de cada brazo para formar los dedos (foto 4, pág. 101).

Pega los brazos al dragón con una pincelada de agua. Si prefieres que los brazos estén doblados, utiliza el lomo del cuchillo para doblar el codo.

CABEZA

Moldea la bola roja de 50 g para que quede lisa y sin grietas. Coloca la bola sobre una superficie de trabajo y aplánala ligeramente. Pellizca cinco pinchos a lo largo de la parte trasera de la cabeza que tengan la misma forma y tamaño que los pinchos de la espalda del dragón.

Inserta dos trozos de 10 cm de espaguetis secos hasta la mitad de la base de la cabeza. Fija la cabeza en el cuerpo del dragón insertando los extremos de espagueti que salen del cuerpo.

OJOS Y CARA

Con la herramienta de decoración o el mango de un pincel, forma dos pequeños agujeros en la cabeza para los ojos. Con la bola blanca de 5 mm, forma dos bolitas y colócalas en los agujeros. Forma dos bolitas más pequeñas con la bola negra de 5 mm y colócalas encima de las bolas blancas para formar las pupilas.

Con la herramienta de decoración, haz los agujeros de la nariz. Utiliza el lomo del cuchillo para grabar la boca.

ALAS

Divide en dos partes iguales la bola roja de 10 mm. Forma una bola con cada parte y dales forma de lágrima estirando suavemente un lado. Aplana cada lágrima con el dedo para formar unas alitas (foto 5, pág. 101). Pégalas a la espalda del dragón con una pincelada de agua.

GARRAS

Divide la bola blanca de 10 mm en ocho partes iguales y luego divídelas de nuevo.

Forma una bolita con cada trozo y pellízcalas para formar un extremo puntiagudo. Coloca cuidadosamente los extremos más planos de las garras en las manos y las patas del dragón, cuatro garras por extremidad (foto 6, pág. 101).

HUEVO DE DRAGÓN

Mezclar el fondant

Mezcla el fondant blanco con polvo Tylose (véase la pág. 93) y extiéndelo hasta alcanzar unos 2 mm de grosor.

Cortar un óvalo

Corta el fondant blanco moldeando un óvalo de forma y tamaño similar al huevo de espuma de poliestireno o el molde de huevo de Pascua.

Cubrir el molde

Si estás utilizando un huevo de poliestireno, cubre la mitad del huevo con el fondant. Si utilizas un molde de huevos de chocolate, forra el huevo con el fondant y déjalo secar por lo menos 1 día.

Marcar los bordes

Cuando el huevo esté seco, sácalo con cuidado del molde. Puedes dejarlo entero o bien romperlo en trozos más pequeños, con los bordes dentados (foto 1), para que parezca el cascarón de un huevo de dragón.

Pintar el huevo

Mezcla el polvo dorado comestible con alcohol alimentario (foto 2) y pinta la cáscara del huevo.

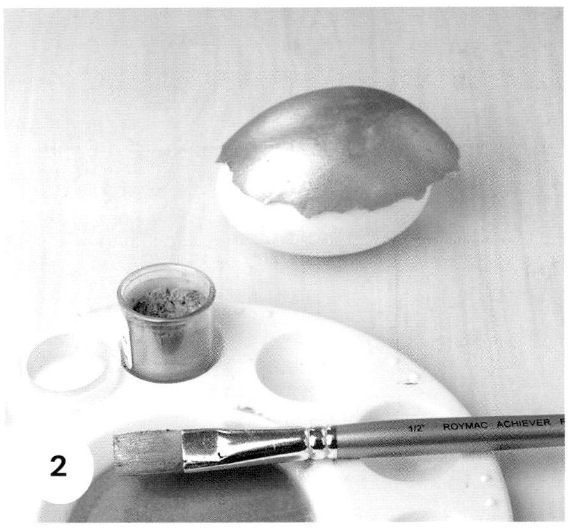

LAS RATAS COCINERAS

Si un día me topara con una rata en Planet Cake, gritaría con todas mis fuerzas y llamaría con mi móvil a un exterminador de ratas. Sin embargo, en los cuentos las ratas poseen un extraordinario sentido del olfato y del gusto, y profesan un amor a la comida que las ha convertido en famosos chefs en todo el mundo.

Chef significa «jefe» en francés. Empleamos esta palabra porque el chef es el jefe de la cocina. Esto implica mucho trabajo, por lo que el chef casi siempre está muy ocupado.

La rata más pequeña es un chef de repostería: le encanta hacer pasteles, postres y pastas. Un chef de repostería hace figuritas de azúcar, pasteles de boda y pasteles de chocolate. Tiene que ser creativo y artístico para confeccionar pasteles y postres que estén tan deliciosos como aparentan. Todos los pasteleros de Planet Cake son chefs de repostería.

Todos los chefs deben llevar un uniforme especial. El sombrero alto de chef se ha utilizado por todo el mundo durante cientos de años, y los sombreros de diferentes alturas a veces muestran lo importante que eres en una cocina.

Si alguien que conoces sueña con convertirse en un chef, o bien es un cocinero fantástico, entonces estos son los personajes idóneos para él. Intenta incluir alguna de sus comidas favoritas, o los alimentos que le gusta cocinar. Si es una chica, puede que desees añadir un lazo rosa en su sombrero de chef.

QUÉ NECESITAS

UTENSILIOS

Bolsa con cierre zip
Cuchillo de cocina pequeño
Pincel mediano
Herramienta de decoración
Esteca de bola

MATERIAL PARA 1 RATA COCINERA

Polvo Tylose
60 g de fondant marrón (cuerpo)
2 bolas de fondant marrón de 10 mm (patas)
1 bola de fondant rosa de 10 mm
1 bola de fondant marrón de 15 mm
1 bola de fondant rosa de 10 mm
20 g de fondant marrón (cabeza)
Espaguetis secos
1 bola de fondant blanco de 5 mm
1 bola de fondant negro de 5 mm
2 bolas de fondant marrón de 5 mm
1 bola de fondant rosa de 5 mm
1 bola de fondant rosa de 15 mm
20 g de fondant blanco (sombrero)
60 g de fondant amarillo (queso)

TEÑIR EL FONDANT

Mezcla los colores el día antes, si puedes, para que los colores intensos sean más fáciles de trabajar. Consulta las páginas 178-179 para ver cómo se tiñe el fondant.

MEDIR Y FORMAR BOLAS

Mide el fondant de cada parte del cuerpo, y con cada porción forma una bola. Para que no se sequen, guárdalas en una bolsa con zip.

CUERPO

Trabaja la bola marrón de 60 g y forma un cono. Colócalo sobre una superficie de trabajo, con el extremo más plano como base.

PATAS

Aplasta las dos bolas marrones de 10 mm hasta aplanarlas. Pégalas a la parte frontal del cuerpo, cerca de la base, con una pincelada de agua.

PIES

Corta por la mitad una bola rosa de 10 mm y forma una bola con cada mitad. Dales forma de lágrima estirando suavemente un lado, haciéndolo más delgado. Alisa las lágrimas con los dedos para formar dos pies.

Utilizando un cuchillo afilado, corta tres dedos en cada pie (foto 1). Moldea y alisa cuidadosamente los dedos de los pies con tus dedos y pégalos con una pincelada de agua a las patas. Dobla los dedos hacia afuera con la ayuda de tus dedos.

BRAZOS

Moldea la bola marrón de 15 mm formando un rulo. Utilizando un cuchillo afilado, corta el rulo por la mitad formando un ángulo oblicuo. Pega los brazos a la rata con una pincelada de agua. Si prefieres que los brazos estén doblados, utiliza el lomo del cuchillo para marcar el codo.

DEDOS

Corta la otra bola rosa de 10 mm por la mitad y forma una bola con cada parte. Dales forma de lágrima estirando suavemente un lado, haciéndolo más delgado. Alisa cada lágrima con los dedos para formar una mano.

Utilizando un cuchillo afilado, corta cuatro dedos en cada mano. Moldéalos y alísalos cuidadosamente con tus dedos. Pega las manos a los extremos de los brazos con una pincelada de agua (foto 2).

CABEZA

Moldea la bola marrón de 20 g para que quede lisa y sin grietas. Dale forma de pera con un extremo puntiagudo. Sujétala entre las manos y luego dobla el extremo puntiagudo de la pera hacia arriba (foto 3) para formar la nariz de la rata.

Con el lomo del cuchillo, graba una línea descendente en el extremo de la nariz, y luego una línea perpendicular para formar la boca.

Inserta dos trozos de 5 cm de espaguetis secos hasta la mitad de la parte superior del cuerpo. Pega la cabeza al cuerpo.

OJOS

Con la herramienta de decoración o el mango de un pincel, forma dos pequeños agujeros en la cabeza para los ojos. Con la bola blanca de 5 mm, forma dos bolitas y colócalas en los agujeros. Forma dos bolitas más pequeñas con la bola negra de 5 mm y colócalas encima de las bolas blancas para formar las pupilas.

OREJAS

Forma dos conos con las dos bolas marrones de 5 mm y aplánalas ligeramente. Luego hazles una cavidad con la herramienta de decoración. Pega las orejas a los lados de la cabeza con una pincelada de agua.

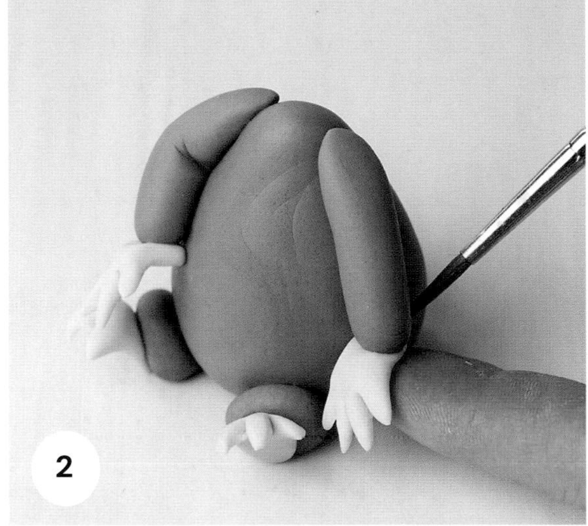

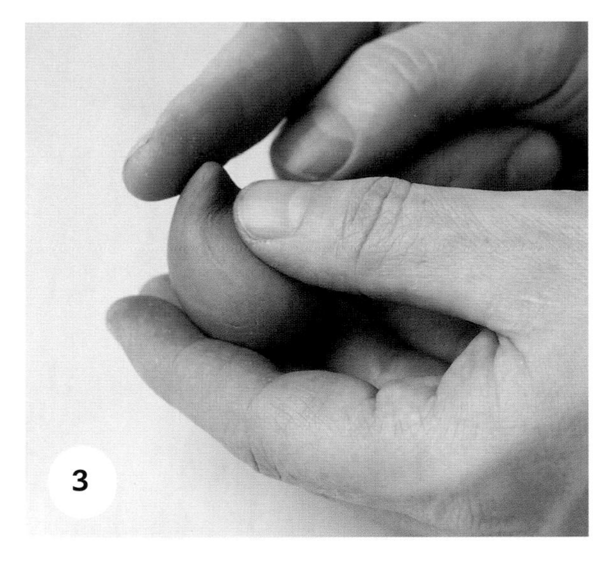

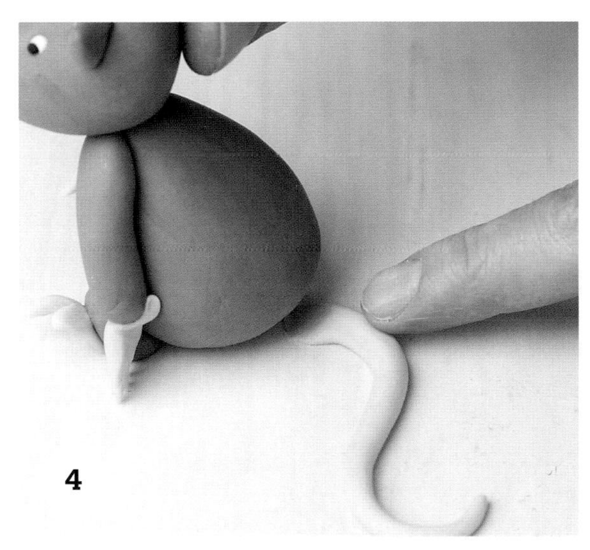

NARIZ

Pellizca ligeramente un lado de la bola rosa de 5 mm dándole forma de nariz. Pega la nariz a la cara con una pincelada de agua.

COLA

Moldea la bola rosa de 15 mm formando un rulo largo y fino (foto 4). Pégalo debajo del cuerpo con una pincelada de agua. Para darle forma de espiral, enrolla la cola alrededor del dedo meñique, de un lápiz o de un pincel, y luego suéltala suavemente, para que conserve algo de la ondulación.

SOMBRERO

Moldea la bola blanca de 20 g y estira la base hacia delante y hacia atrás con los dedos, creando una base más estrecha, similar a la de una bombilla. Con el lomo del cuchillo, marca algunas líneas sobre la parte superior del sombrero.

QUESO

Moldea la bola amarilla con la ayuda de los dedos hasta formar un triángulo. Con el extremo pequeño de la esteca de bola, practica algunas cavidades en el queso para que parezca un queso gruyer.

LOS PULPOS HIPHOPEROS

Estos pulpos son geniales: si te gustan los raperos, la música hip hop, o solo los pulpos, entonces estas son tus figuritas. A mi amigo Milo le hubiera encantado tener estos personajes de pequeño: le encanta la música, va a todas partes en monopatín y es un poco pasota.

Si tienes un amigo, hermano o hermana que crees que es muy guay, entones piensa en cambiar los colores de los pulpos hiphoperos por los colores que le gusta vestir. Utiliza tu imaginación e incluye accesorios como monopatines, mesas de mezclas de música y gafas de sol.

En cuanto a los pulpos, son unos bichos geniales. ¿Sabías que hay gente que los tiene como mascotas? Me quedé de piedra al enterarme de que suelen escaparse de sus acuarios gracias a su gran talento para resolver problemas y a su agilidad corporal.

Así pues, estos personajes tan estupendos esconden mucho más de lo que se ve a simple vista. Son muy inteligentes y más duros que una roca. Serán geniales para cualquiera de tus afortunados amigos, y lo mejor de todo es que son bastante fáciles de hacer, así que exprime al máximo tu imaginación para transformarlos en lo que quieras.

QUÉ NECESITAS

UTENSILIOS

Bolsa con cierre zip
Cuchillo de cocina pequeño
Herramienta de decoración
Pincel mediano
Rodillo pequeño

MATERIAL PARA 1 PULPO HIPHOPERO

Polvo Tylose
70 g de fondant de color (cuerpo)
18 g de fondant de color (tentáculos)
1 bola de fondant blanco de 5 mm (ojos)
1 bola de fondant negro de 5 mm (ojos)
1 bola de fondant rosa de 10 mm (lengua fuera; opcional)
1 bola de fondant rojo de 5 mm (labios; opcional)
1 bola de fondant blanco de 5 mm (dientes; opcional)
1 bola de fondant de color de 10 mm (pelo)

TEÑIR EL FONDANT

Mezcla los colores el día antes, si puedes, para que los colores intensos sean más fáciles de trabajar. Consulta las páginas 178-179 para ver cómo se tiñe el fondant.

MEDIR Y FORMAR BOLAS

Mide el fondant de cada parte del cuerpo, y con cada porción forma una bola. Para que no se sequen, guárdalas en la bolsa con zip.

CUERPO

Trabaja la bola de color de 70 g hasta que esté lisa, suave y sin grietas. Ponla sobre la superficie de trabajo y aplánala ligeramente.

TENTÁCULOS

Trabaja la bola de 18 g de fondant hasta que sea lisa, suave y sin grietas, y forma con ella un rulo. Con un cuchillo córtalo en 6 partes iguales. Con cada una moldea un rulo afilado de unos 7 cm de longitud. Dobla los tentáculos si quieres (foto 1). Suaviza cada tentáculo en la articulación y luego pégalo al cuerpo del pulpo con una pincelada de agua.

OJOS

Utilizando tu herramienta de decoración o el mango de un pincel, haz dos pequeños agujeros en la cabeza para los ojos (foto 2). Forma dos bolas con la bola blanca de 5 mm y colócalas en los agujeros. Forma dos bolas más pequeñas con la bola negra de 5 mm y colócalas en la parte superior de las bolas blancas para formar las pupilas.

Nota: Puedes utilizar el fondant de los ojos para hacer un solo ojo grande en lugar de dos ojos pequeños.

BOCA

Lengua fuera (opción 1): Mientras el fondant de la cara del pulpo está aún blanda, utiliza la herramienta de decoración para dibujar la boca haciendo una mueca o una forma de «O». Para la lengua, moldea la bola rosa de 10 mm dándole la forma de una judía y aplánala. Corta un extremo recto. Coloca el extremo plano en la boca con una pincelada de agua (foto 3). Utiliza una herramienta de decoración o el lomo de un cuchillo para marcar la línea central de la lengua.

Labios (opción 2): Moldea la bola roja de 5 mm formando un rulo gordo o delgado, según el grosor que quieras darle a los labios. Con un cuchillo o con los dedos, dale la forma de labios que desees. Pega los labios al pulpo con una pincelada de agua.

Dientes (opción 3): Extiende la bola blanca de 5 mm hasta alcanzar un grosor de 2 mm. Con la ayuda de un cuchillo, corta un cuadrado y luego marca una línea en el centro del cuadrado para formar dos grandes dientes. Pégalos al pulpo con una pincelada de agua (foto 4).

PELO

Mechones de pelo (opción 1): Moldea la bola de color de 10 mm y forma varios conos o una coleta. Retuerce los conos o la coleta, o bien márcalos con la herramienta de decoración, y a continuación, pégalos en la cabeza con una pincelada de agua (foto 5).

Puedes atar una cinta a la coleta formando un diminuto rectángulo de fondant y apretándolo en el centro. A continuación, haz una ranura en la coleta y pega la cinta en la ranura con una pincelada de agua.

Disco de pelo (opción 2): Moldea la bola pequeña de color hasta que esté suave y aplánala ligeramente. Pégala sobre la cabeza del pulpo con una pincelada de agua y grábale líneas con el lomo del cuchillo o con la herramienta de decoración para darle un aspecto ondulado (foto 6).

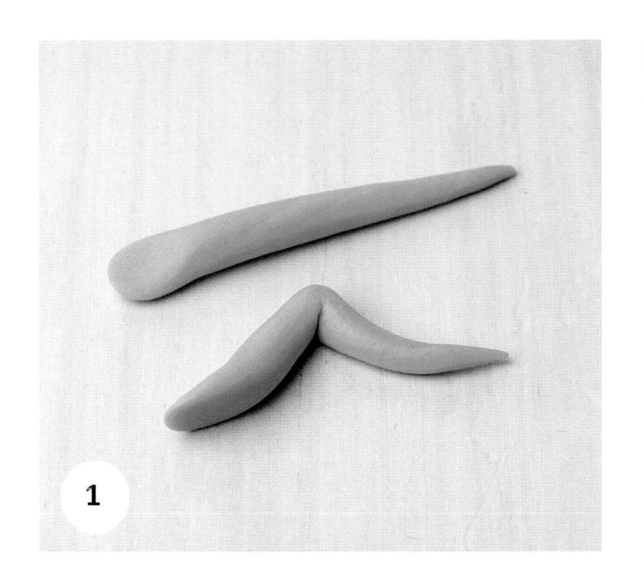
1

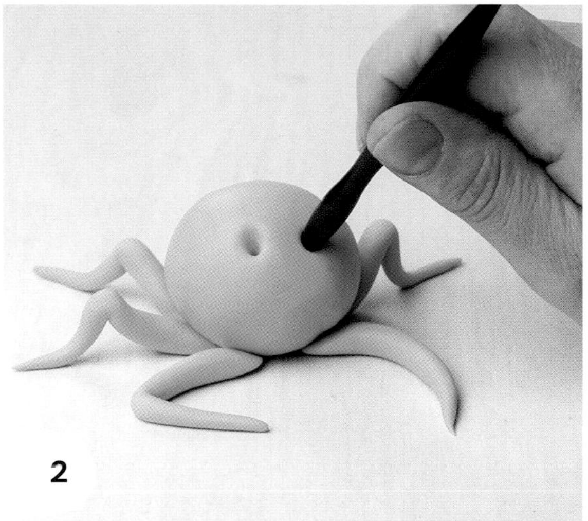
2

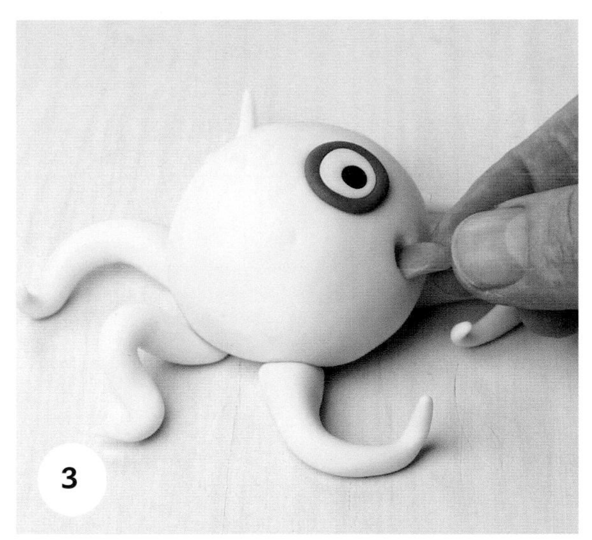
3

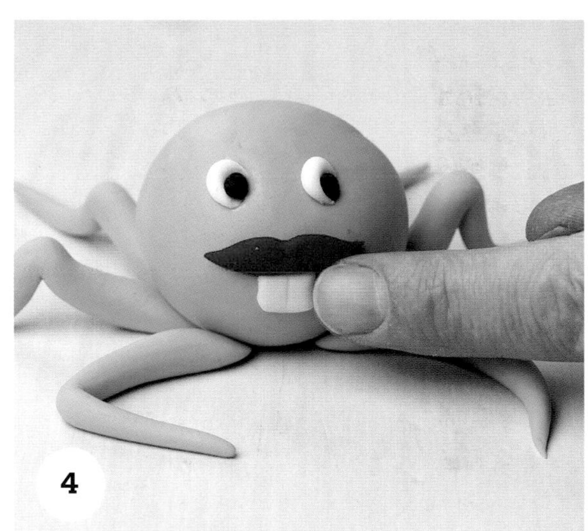
4

5

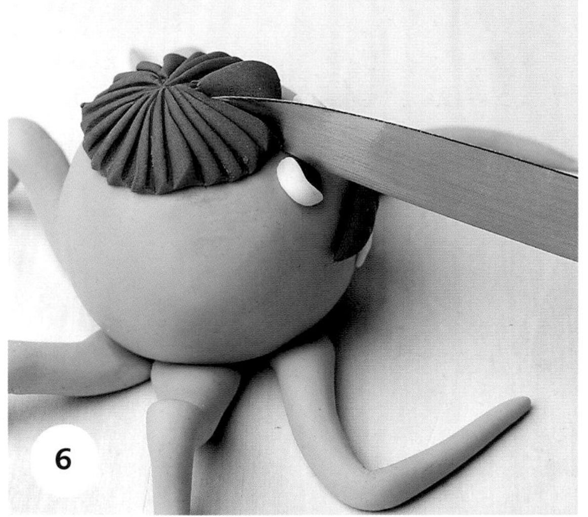
6

LAS LANGOSTAS SOCORRISTAS

¿Sabías que en las playas australianas hay niños que hacen de socorristas alevines? A menudo se les llama *little nippers* (langostinos o pequeñas langostas), y por eso pensé que no habría mejores socorristas para este pastel que estos divertidos crustáceos.

Un socorrista surfista es un voluntario cualificado que patrulla por las playas y se encarga de un sinfín de importantes tareas, tales como rescates, primeros auxilios y vigilancia costera para garantizar que es seguro nadar en la playa; a veces incluso tiene que hacer sonar la alarma si ve un tiburón (afortunadamente, esto sucede en muy raras ocasiones).

La mayoría de socorristas son muy felices porque llevan un estilo de vida sano y saludable. Además, tienen muchos amigos, compiten en deportes marinos y son muy populares en la comunidad.

Si te gusta la playa, o conoces a alguien que le encanta, estos personajes son ideales. Cuando le entregues el pastel a la persona afortunada, ¡no olvides recordarle que siempre se ponga filtro solar si no quiere acabar roja como una langosta!

PLAYA

QUÉ NECESITAS

UTENSILIOS

Bolsa con cierre zip
Cuchillo de cocina pequeño
Pincel mediano
Herramienta de decoración
Pajita de refresco larga o boquilla
Palillo
Espuma de poliestireno

MATERIAL PARA 1 LANGOSTA

Polvo Tylose
60 g de fondant naranja (cuerpo)
6 bolas de fondant naranja de 5 mm (patas)
2 bolas de fondant naranja de 15 mm (pinzas)
2 bolas de fondant naranja de 10 mm (ojos)
1 bola de fondant blanco de 10 mm (ojos)
1 bola de fondant negro de 5 mm (ojos)
Espaguetis secos

TEÑIR EL FONDANT

Mezcla los colores el día anterior si es posible, para conseguir que los colores intensos resulten más fáciles de trabajar. Consulta las páginas 178-179 para ver cómo se tiñe el fondant.

MEDIR Y FORMAR BOLAS

Mide cada porción de fondant requerido para cada parte del cuerpo y luego forma con ella una bola. Guárdalas dentro de una bolsa con cierre zip para que no se sequen.

CUERPO

Trabaja la bola naranja de 60 g dándole la forma de un cucurucho de helado de unos 9 cm de longitud. Con la ayuda del cuchillo, corta la punta del cucurucho por la mitad unos 2 cm (foto 1). Luego dobla ambos lados de la base del cucurucho que has cortado para formar las patas.

Con el lomo del cuchillo marca la parte frontal de la langosta con líneas horizontales para formar la barriga (foto 2).

Pon de pie la langosta. Coloca un palillo encima del centro de la langosta (lo quitarás después y lo sustituirás por espaguetis cuando coloques la langosta en el pastel). Coloca el cuerpo sobre espuma de poliestireno para que se seque.

PATAS

Trabaja las seis bolas naranjas de 5 mm dándoles forma de lágrima. Si quieres hacer las patas dobladas, utiliza el lomo del cuchillo y dobla la pata por el codo. Pega las patas a la mitad inferior del cuerpo con una pincelada de agua (foto 3).

PINZAS

Moldea las dos bolas naranjas de 15 mm con forma de lágrima y luego alísalas uniformemente. Corta la mitad del extremo más ancho (foto 2) y separa las pinzas. Pega las pinzas a la parte superior del cuerpo con una pincelada de agua.

BOCA

Coge una pajita de refresco o el extremo ancho de una boquilla y presiona cuidadosamente contra la cabeza para marcar la boca (foto 5).

OJOS

Moldea las dos bolas naranjas de 10 mm hasta que estén lisas. Con la herramienta de decoración, haz un agujero en cada bola. Con la bola blanca de 10 mm forma dos bolitas y aplánalas con los dedos. Colócalas en los agujeros de los ojos.

Forma dos bolas más pequeñas con la bola negra de 5 mm y aplánalas entre los dedos. Pégalas sobre las bolas blancas con una pincelada de agua (foto 6). Cuanto más disparatados parezcan, mejor.

Pega los ojos en la cabeza de la langosta con una pincelada de agua.

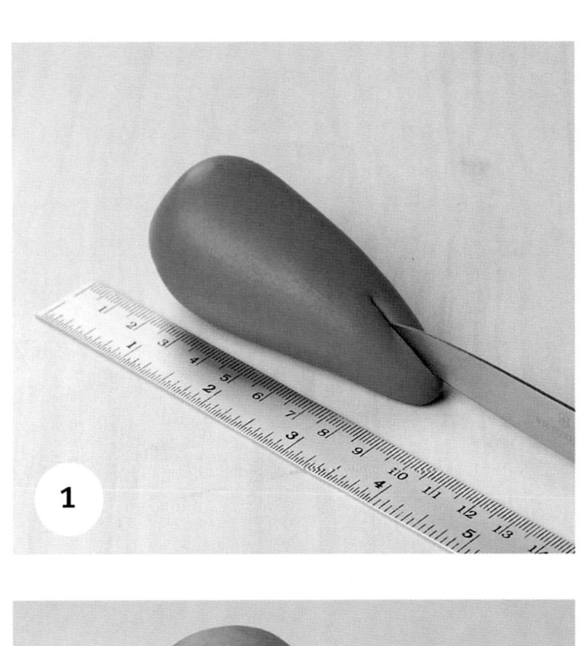
1

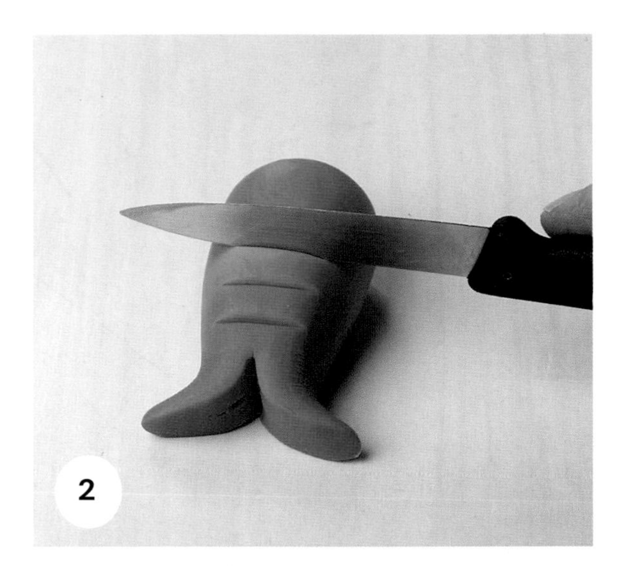
2

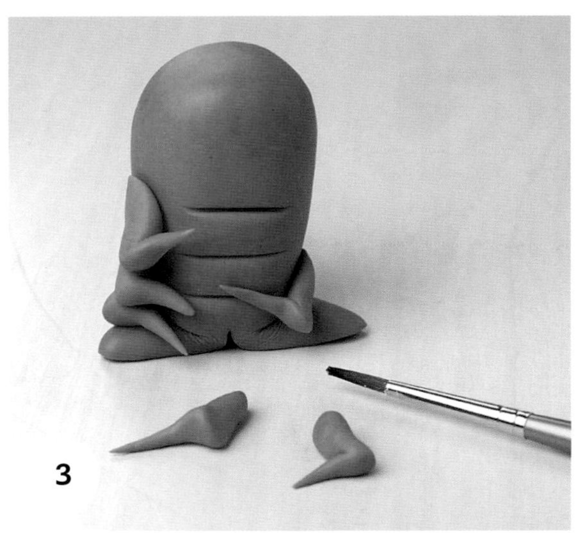
3

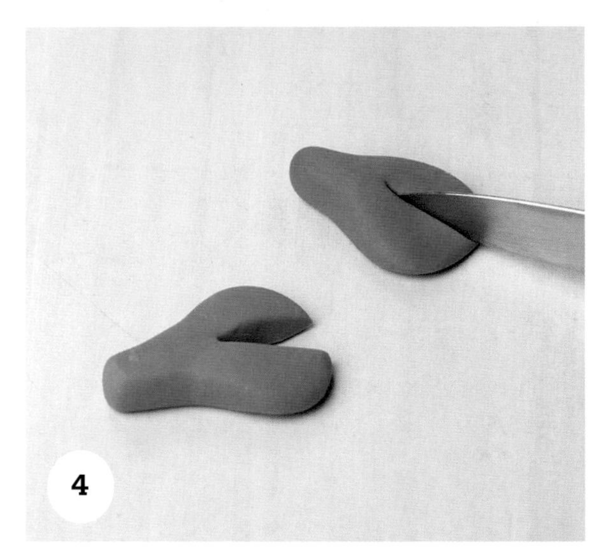
4

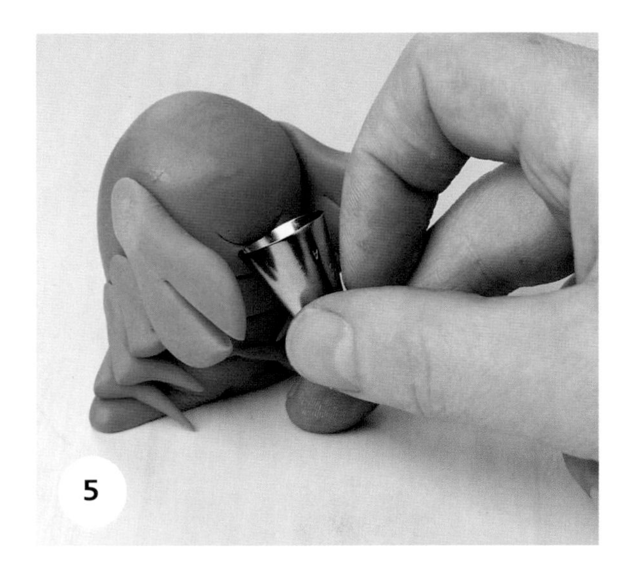
5

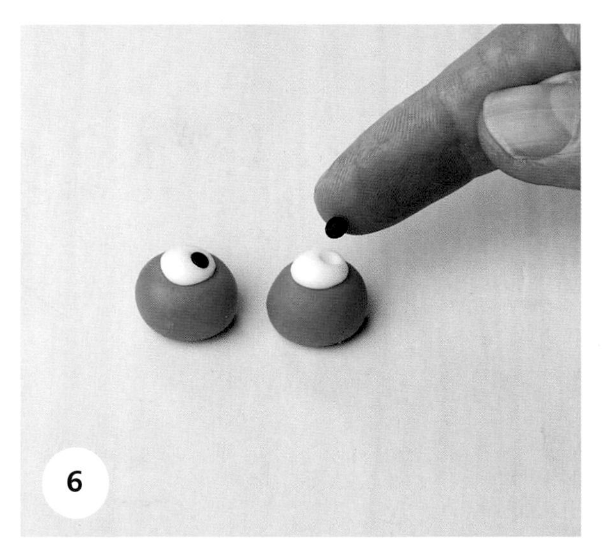
6

DONUT Y COMPAÑÍA

¿Cómo te sentirías si fueras un donut y supieras que están a punto de comerte? Supongo que bastante asustado, ¿verdad? Pero si fueras una figurita en forma de donut con una gran personalidad, como el Señor Donut, ¡seguro que la gente querría que te unieras a la fiesta!

Estas figuritas para pasteles son perfectas para alguien a quien le gusta comer. A mi padre LE ENCANTAN las hamburguesas, y de ahí es de donde surgió la idea de Harry la Hamburguesa. A mí me encantan los perritos calientes, así que también los puse en el pastel.

Si estás haciendo tu comida favorita como figurita para un pastel, piensa en el tipo de personalidad que tendría. Por ejemplo, yo creo que un donut siempre estaría diciendo chistes y riéndose un montón, y a un perrito caliente seguramente le encantaría el deporte, porque los perritos calientes siempre están cerca de donde se celebran encuentros deportivos; y a una hamburguesa le encantaría ir de compras, pues muchas veces he estado comiendo hamburguesas en los centros comerciales.

Estas figuritas son muy divertidas y harán sonreír a la gente. Son perfectas para el pastel de cumpleaños definitivo. Piénsalo bien: pasteles, donuts, hamburguesas y perritos calientes… ¡Todas las cosas que te gustan reunidas en un pastel!

QUÉ NECESITAS

UTENSILIOS

Cuchillo de cocina pequeño
Pincel mediano
Bolsa con cierre zip
Herramienta de decoración
Cortador circular
Espátula
Boquilla y bolsa de manga pastelera
Rodillo pequeño

MATERIAL PARA 1 DONUT

Polvo Tylose
50 g de fondant marrón claro (donut)
Glasa real (glaseado del donut) de tu color favorito
Fideos de azúcar de colores (decoración)
2 bolas de 5 g de fondant negro (pies)
2 bolas de fondant blanco de 5 mm (ojos)
1 bola de fondant negro de 5 mm (ojos)

QUÉ NECESITAS

MATERIAL PARA 1 PERRITO CALIENTE

60 g de fondant marrón claro (pan alargado)
25 g de fondant rosa fuerte (salchicha)
10 g de fondant rojo (salsa)
2 bolas de 5 g de fondant negro (pies)
2 bolas de fondant blanco de 5 mm (ojos)
1 bola de fondant negro de 5 mm (ojos)

MATERIAL PARA 1 HAMBURGUESA

2 bolas de 30 g de fondant marrón claro (pan redondo)
12 g de fondant rojo (tomate)
12 g de fondant verde (lechuga)
12 g de fondant marrón (carne)
1 bola de fondant blanco de 10 mm (dientes)
1 bola de fondant blanco de 5 mm (ojos)
1 bola de fondant negro de 5 mm (ojos)
10 g de fondant rojo (gorra)
2 piezas de 5 g de fondant negro (pies)

DONUT

Tenir el fondant Mezcla los colores el día antes, si puedes, para que los colores intensos sean más fáciles de trabajar. Consulta las páginas 178-179 para ver cómo se tiñe el fondant.

Medir y formar bolas: Mide cada porción de fondant requerido para cada parte del cuerpo y luego forma con ella una bola. Guárdalas dentro de una bolsa con cierre zip para que no se sequen.

Donut: Trabaja la bola marrón claro de 50 g hasta que esté suave, blanda y sin grietas. Coloca la bola sobre una superficie lisa y aplánala hasta el grosor que desees darle al donut. Haz un agujero en el centro del donut y suaviza el interior del agujero hasta conseguir una forma de donut totalmente lisa (foto 1). Deja que se seque.

Glaseado: Mezcla y tiñe la glasa real. Para hacerlo, añade colorante alimentario en cantidades muy reducidas y mézclalo con una espátula en una tabla o en un plato. No hagas el color demasiado oscuro, pues se oscurecerá cuando se seque.

Puedes glasear el donut con la manga pastelera, o bien alisar la glasa sobre el donut con una espátula. Con la glasa real aún mojada, espolvorea fideos de azúcar de colores por encima y déjalo secar.

Pies: Moldea las dos bolas negras de 5 g dándoles una forma ovalada, aplanando suavemente cada bola. Luego aplana un extremo de cada óvalo con el dedo, para hacer una hendidura que se ajuste debajo del cuerpo (foto 2). Pega los pies por debajo del cuerpo con una pincelada de agua. Moldea los pies con la ayuda de los dedos.

Ojos: Aplana ligeramente las dos bolas blancas de 5 mm. Haz un agujero en cada bola con la herramienta de decoración. Forma dos bolitas con la bola negra de 5 mm y colócalas en los agujeros. Cuanto más locos sean los ojos, mejor. Pega los ojos encima del donut con una pincelada de agua (foto 3). Déjalos secar.

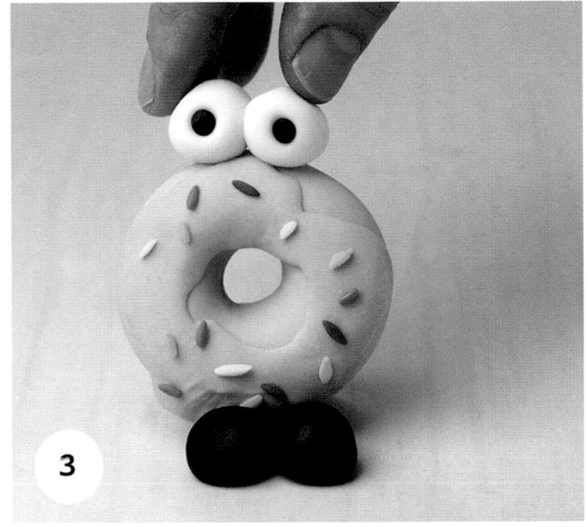

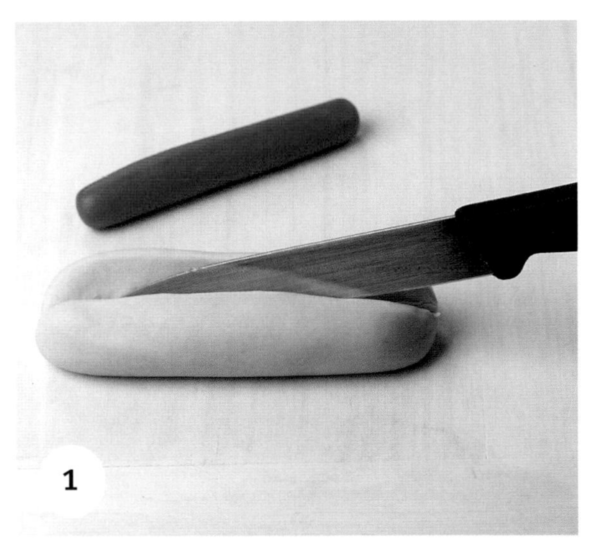

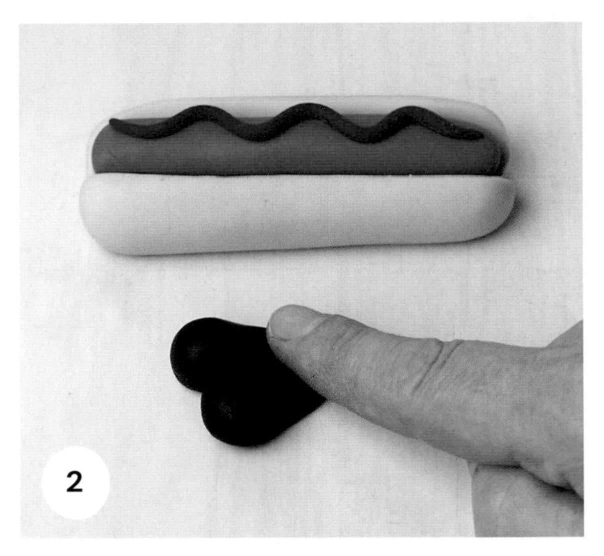

PERRITO CALIENTE

Teñir el fondant: Mezcla los colores el día anterior si es posible, para conseguir que los colores intensos resulten más fáciles de trabajar. Consulta las páginas 178-179 para ver cómo se tiñe el fondant.

Medir y formar bolas: Mide cada porción de fondant requerido para cada parte del cuerpo y luego forma con ella una bola. Guárdalas dentro de una bolsa con cierre zip para que no se sequen.

Pan alargado: Moldea la bola marrón claro de 60 g formando un rulo grueso. Corta el rulo por la mitad con un cuchillo afilado y luego ábrelo como si fuera una barrita de pan (foto 1).

Salchicha: Moldea la bola rosa fuerte en forma de salchicha, y hazla ligeramente más corta que el «pan». Coloca la «salchicha» en medio del pan, fijándola con una pincelada de agua.

Salsa: Moldea la bola roja formando un rulo fino. Colócalo sobre la salchicha para que parezca un chorro de salsa, y fíjalo con una pincelada de agua. Recorta los extremos con un cuchillo.

Pies: Moldea las dos bolas negras de 5 g de forma ovalada, aplanando suavemente cada bola. Luego aplana un extremo de cada óvalo con el dedo, para hacer una hendidura que se ajuste debajo del cuerpo (foto 2, pág. 119). Pega los pies por debajo del cuerpo con una pincelada de agua. Moldea los pies con la ayuda de los dedos.

Ojos: Aplana ligeramente las dos bolas blancas de 5 mm. Haz un agujero en cada bola con la herramienta de decoración. Forma dos bolitas con la bola negra de 5 mm y colócalas en los agujeros. Pega los ojos encima del perrito caliente con una pincelada de agua. Déjalo secar.

HAMBURGUESA

Teñir el fondant: Mezcla los colores el día anterior si es posible, para conseguir que los colores intensos resulten más fáciles de trabajar. Consulta las páginas 178-179 para ver cómo se tiñe el fondant.

Medir y formar bolas: Mide cada porción de fondant requerido para cada parte del cuerpo y luego forma con ella una bola. Guárdalas dentro de una bolsa con cierre zip para que no se sequen.

Pan redondo: Moldea las dos bolas de 30 g de fondant marrón claro hasta que estén suaves, lisas y sin grietas. Colócalas sobre una superficie de trabajo y aplánalas con la palma de la mano para formar dos mitades de un pan redondo. Dale la vuelta a una de las dos mitades para formar la mitad de la base.

Tomate y lechuga: Extiende la bola de fondant rojo hasta alcanzar los 2 mm de grosor, y después haz lo mismo con la bola de fondant verde. Con la ayuda de un cortador circular, corta dos círculos de cada pieza de fondant y luego corta cada círculo por la mitad. Colócalas de forma alterna sobre la base del pan y fíjalas con una pincelada de agua, para formar capas de tomate y lechuga (foto 1, página opuesta).

Carne: Moldea la bola de 12 g de fondant marrón hasta alcanzar un grosor de 5 mm y luego corta un círculo utilizando un cortador circular. (O extiende el fondant hasta formar una bola suave y aplanarla hasta alcanzar los 5 mm de grosor). Colócala encima de la lechuga y el tomate para formar la hamburguesa. Fíjala con una pincelada de agua.

Coloca la otra mitad del pan encima de la hamburguesa y fíjala con una pincelada de agua.

Boca y dientes: Con el extremo de un cortador circular, graba una sonrisa encima de la hamburguesa (foto 2). Haz dos marcas de hoyuelos en cada extremo de la sonrisa con la herramienta de decoración.

Extiende la bola de fondant blanco de 10 mm hasta alcanzar los 2 mm de grosor. Corta con un cuchillo un trozo en forma de sonrisa y colócala en la cavidad de la sonrisa, fijándola con una pincelada de agua. Marca algunos dientes con el lomo del cuchillo.

Ojos: Con la ayuda de la herramienta de decoración o con el mango de un pincel, haz dos pequeños agujeros para los ojos en la parte superior del pan de la hamburguesa (foto 3). Forma dos bolitas con la bola de fondant blanco de 5 mm y colócalas en los agujeros. Forma dos bolitas más pequeñas con la bola de fondant negro de 5 mm y colócalas en la parte superior para formar las pupilas.

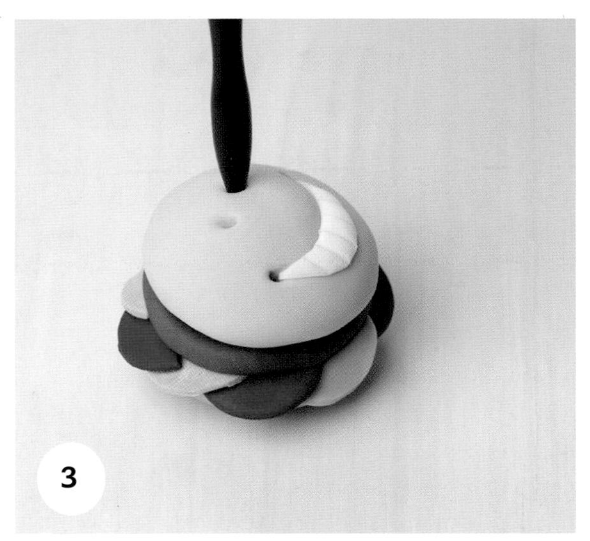

Gorra: Aplana ligeramente la bola roja de 10 g. Colócala sobre una superficie lisa y aplasta un cuarto de la bola aplanada para formar la visera de la gorra. Marca la parte frontal con un cuchillo. Pega la gorra sobre la hamburguesa con una pincelada de agua.

Pies: Moldea las dos bolas negras de 5 g de forma ovalada, aplanando suavemente cada bola. Luego aplana un extremo de cada óvalo con el dedo para hacer una hendidura que se ajuste debajo del cuerpo (foto 4). Pega los pies por debajo del cuerpo con una pincelada de agua. Moldea los pies con la ayuda de los dedos.

LOS TROCITOS DEL SEÑOR AZÚCAR

Mi mejor amiga Melanie se lo pasa en grande asustándome. A veces se esconde detrás de una puerta y sale de repente cuando menos me lo espero. Hace ruidos extraños y escalofriantes por la noche para asustarme y le encanta contar terroríficas historias de fantasmas. Lo más curioso de todo es que Melanie ¡es una persona mayor!

Lo mejor de que un amigo te pegue un buen susto es que puede ser la mar de divertido. Por eso Melanie me asusta, para ver como pego un salto de tres metros en el aire y luego las dos nos echamos a reír como locas.

Si quieres asustar a tus amigos, haz algunos trocitos del Sr. Azúcar y colócalos sobre un pastel horripilante. Puedes hacerlo aún más terrorífico si cocinas un pastel Red velvet (véase la pág. 25), que es de color rojo brillante. Intenta gastar una broma a tus amigos mordisqueando un dedo o un ojo cuando vengan a ver tu creación. ¡Eso repugnará tanto a tus invitados que puede que ya no sean capaces de comerse el pastel!

Lo único que no debes olvidar es que los niños pequeños y los bebés podrían asustarse de verdad, así que asegúrate de dejarles claro que no es más que un pastel.

Estas figuritas son muy fáciles y están de muerte (perdón por el chiste fácil). Si las juntas con nuestro pastel Red velvet, causarán gran sensación en toda fiesta de terror o de Halloween que se precie.

QUÉ NECESITAS

UTENSILIOS
- Bolsa con cierre zip
- Cuchillo de cocina pequeño
- Esteca de bola
- Herramienta de decoración
- Pincel fino

MATERIAL PARA 1 DEDO
- Polvo Tylose
- 20 g de fondant verde claro
- 1 bola de fondant rojo o negro de 5 mm

MATERIAL PARA 1 GLOBO OCULAR
- 15 g de fondant blanco
- 1 bola de fondant azul de 5 mm
- 1 bola de fondant negro de 5 mm
- 10 de fondant rojo
- Pasta colorante roja
- Alcohol alimentario

QUÉ NECESITAS

MATERIAL PARA 1 MANO
50 g de fondant verde
1 bola de fondant rojo o negro de 5 mm
Espaguetis secos

MATERIAL PARA 1 HUESO
25 g de fondant blanco

MATERIAL PARA 1 CACA DE PERRO
25 g de fondant marrón

TEÑIR EL FONDANT
Mezcla los colores el día anterior si es posible, para conseguir que los colores intensos resulten más fáciles de trabajar. Consulta las páginas 178-179 para ver cómo se tiñe el fondant.

MEDIR Y FORMAR BOLAS
Mide cada porción de fondant requerido para cada parte del cuerpo y luego forma con ella una bola. Guárdalas dentro de una bolsa con cierre zip para que no se sequen.

DEDO
Moldea la bola de fondant verde claro formando un cilindro y reduce ligeramente un extremo. Presiona el extremo reducido para darle forma de uña (foto 1).

Para hacer la uña, aplana ligeramente la bola roja o negra de 5 mm y dale forma ovalada. Pégala al dedo con una pincelada de agua. Dibuja arrugas en la parte superior del dedo con el lomo de un cuchillo. Dobla el dedo colocando el lomo del cuchillo detrás del «nudillo» y presiónalo (foto 2).

GLOBO OCULAR
Presiona la bola blanca con el extremo fino de la esteca de bola. Alisa la bola de fondant azul de 5 mm y colócala en la cavidad, fijándola con una pincelada de agua.

Con la ayuda de una herramienta de decoración, practica una hendidura en el fondant azul para formar la pupila. Coloca la bola de fondant negro en la cavidad y fíjala con una pincelada de agua.

Haz rodar ligeramente toda la bola sobre una superficie plana para asegurarte de que los colores del fondant se han mezclado bien.

Con la bola roja, forma un rulo largo con un extremo más grueso que el otro. Retuércelo y pégalo por el extremo más grueso a la parte trasera del ojo con una pincelada de agua (foto 3). Mezcla un poco de pasta de color rojo y alcohol decorativo. Utilizando un pincel fino, pinta líneas serpenteantes en el globo del ojo para que parezca que está inyectado en sangre.

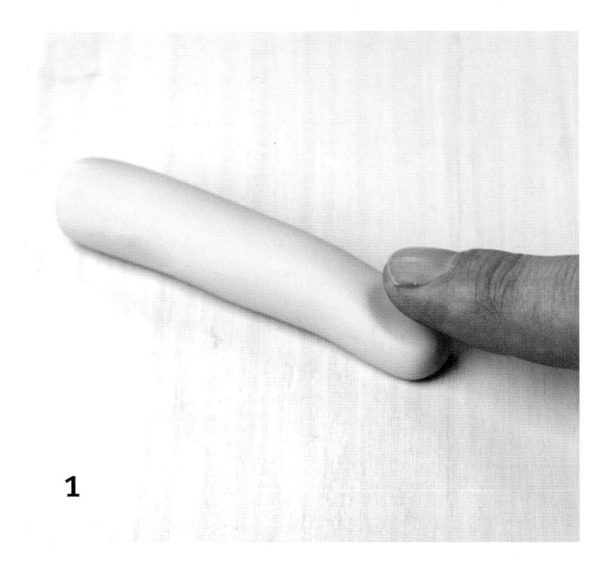

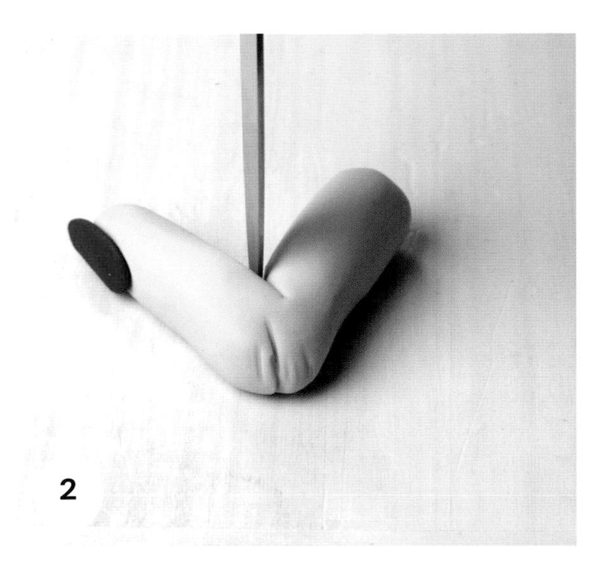

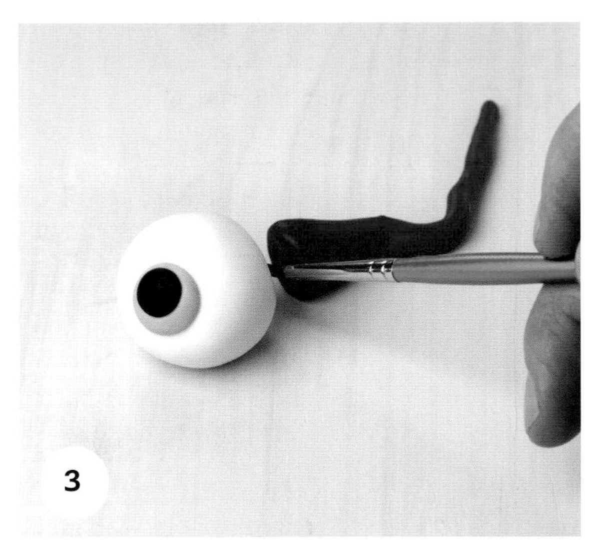

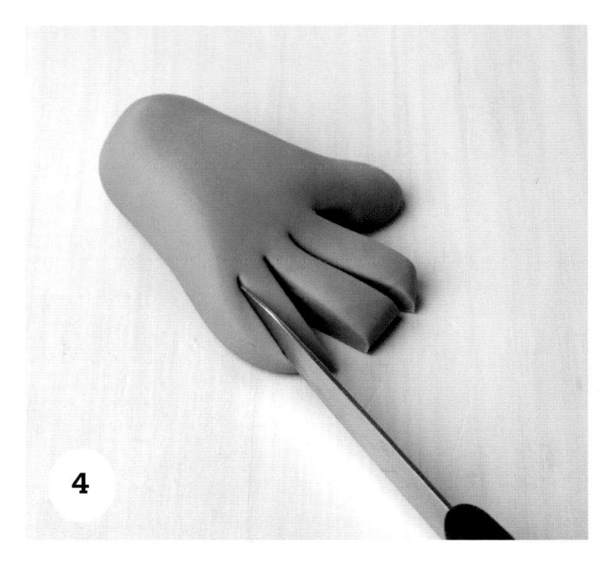

MANO

Forma un cilindro con la bola verde. A continuación, aplana uno de los extremos.

Con la ayuda de un cuchillo afilado, corta un pulgar grueso y cuatro dedos en el extremo más fino de la mano (foto 4), y luego suaviza y moldea la mano con los dedos. Presiona sobre las uñas con tus dedos.

Para hacer las uñas, forma cinco óvalos con la bola roja o negra de 5 mm y aplánalos ligeramente. Pega las uñas a los dedos con una pincelada de agua.

Dibuja arrugas sobre los dedos y el pulgar con el lomo de un cuchillo. Clava dos trocitos de espagueti seco debajo de la mano para sujetarla encima del pastel.

HUESO

Moldea la bola blanca para formar un cilindro largo y fino. Aplánalo con las manos y luego presiona ambos extremos con los dedos. Presiónalo longitudinalmente para formar el «hueso».

CACA DE PERRO

Forma un cilindro con la bola marrón y luego retuércelo en forma de bucle.

LOS PINGÜINOS SURFISTAS

Adoro los pingüinos por muy diversas razones. También me gusta el surf de nieve, así que pensé que podría unir ambas cosas en estas fantásticas figuritas.

Si eres como yo y te gusta el surf de nieve, entonces ya sabes lo emocionante que es. Yo ya empiezo a disfrutar desde el momento en que ato mis pies a la tabla de snowboard. En cuanto salto del telesilla y empiezo a surfear sobre la nieve, me siento en el séptimo cielo. La sensación de bajar por una colina a toda velocidad es muy emocionante. Me encanta esquivar los árboles, evitar la nieve mala, cabalgar sobre la nieve en polvo, pegar saltos y tomar nuevos caminos cada vez... ¡ES GENIAL!

Pero también me gusta toda la camaradería y las risas que implica hacer surf de nieve: conocer gente nueva, supera tus límites, afrontar retos y más retos, escuchar música y luego seguir surfeando. En cuanto vuelvo a casa ya estoy pensando en cuándo podré volver y cómo podré hacerlo aún mejor.

QUÉ NECESITAS

UTENSILIOS

Bolsa con cierre zip
Cuchillo de cocina pequeño
Pincel mediano
Rodillo pequeño

MATERIAL PARA 1 PINGÜINO

Polvo Tylose
20 g de fondant aguamarina o de otro color (cuerpo)
2 bolas de fondant amarillo de 5 mm (pies)
1 bola de fondant blanco de 10 mm (barriga)
2 bolas de fondant aguamarina o de otro color de 5 mm (alas)
50 g de fondant aguamarina o de otro color (cabeza)
1 bola de fondant amarillo o naranja de 5 mm (pico)
1 bola de fondant blanco de 5 mm (ojos)
1 bola de fondant negro de 5 mm (ojos)

TEÑIR EL FONDANT

Mezcla los colores el día antes, si puedes, para que los colores intensos sean más fáciles de trabajar. Consulta las páginas 178-179 para ver cómo se tiñe el fondant.

MEDIR Y FORMAR BOLAS

Mide el fondant de cada parte del cuerpo, y con cada porción forma una bola. Para que no se sequen, guárdalas en la bolsa con zip.

CUERPO

Trabaja la bola aguamarina de 20 g y forma un cono. Colócalo sobre una superficie lisa, con el extremo más plano como base (foto 1).

PATAS

Moldea las dos bolas amarillas de 5 mm dándoles forma de lágrima estirando suavemente un lado, haciéndolo más delgado. Alisa las lágrimas con los dedos. Presiona cada pie tres veces para crear un efecto de pies palmeados (foto 2).

Pega los pies debajo del cuerpo con una pincelada de agua. Moldea los pies pellizcándolos con los dedos.

BARRIGA

Extiende la bola blanca de 10 mm hasta alcanzar un grosor de 2 mm. Con la ayuda de un cuchillo, recorta una forma ovalada y pégala a la parte frontal del cuerpo con una pincelada de agua.

ALAS

Al igual que has hecho con los pies, moldea las dos bolas aguamarina de 5 mm y dales forma de lágrima estirando suavemente un lado, haciéndolo más delgado (foto 3). Alisa las lágrimas con los dedos. Pega el extremo más grueso de la lágrima a cada lado del cuerpo con una pincelada de agua. Levanta suavemente el extremo puntiagudo de las lágrimas con los dedos para darles la apariencia de unas alas.

CABEZA

Moldea la bola aguamarina de 50 g para que esté blanda, sin grietas y que tenga una forma perfectamente redonda. Coloca la bola sobre la palma de tu mano (asegúrate de que esté limpia y seca). Ahora coloca tu otra mano encima como si fueras a aplaudir. Presiona de forma suave y uniforme la bola con ambas manos, para aplanarla (foto 4).

Inserta dos trozos de espaguetis secos de 3 cm cada uno hasta la mitad de la base de la cabeza. Fija la cabeza sobre el cuerpo del pingüino insertando los espaguetis que sobresalen del cuerpo.

PICO

Extiende la bola amarilla o naranja de 5 mm hasta alcanzar un grosor de 3 mm. Corta con un cuchillo un trozo de fondant en forma de rombo. Coloca el lomo del cuchillo suavemente en el centro del rombo (en la parte más gruesa) y dobla el rombo por la mitad sobre el cuchillo, para formar el pico (foto 5). Pégalo en la cara del pingüino con una pincelada de agua.

OJOS

Forma dos bolitas con la bola blanca de 5 mm y aplánalas entre los dedos. Pégalas a la cara del pingüino con una pincelada de agua.

Forma dos bolitas más pequeñas con la bola negra de 5 mm y aplánalas un poco. Pégalas encima de las bolas blancas con una pincelada de agua para formar las pupilas (foto 6).

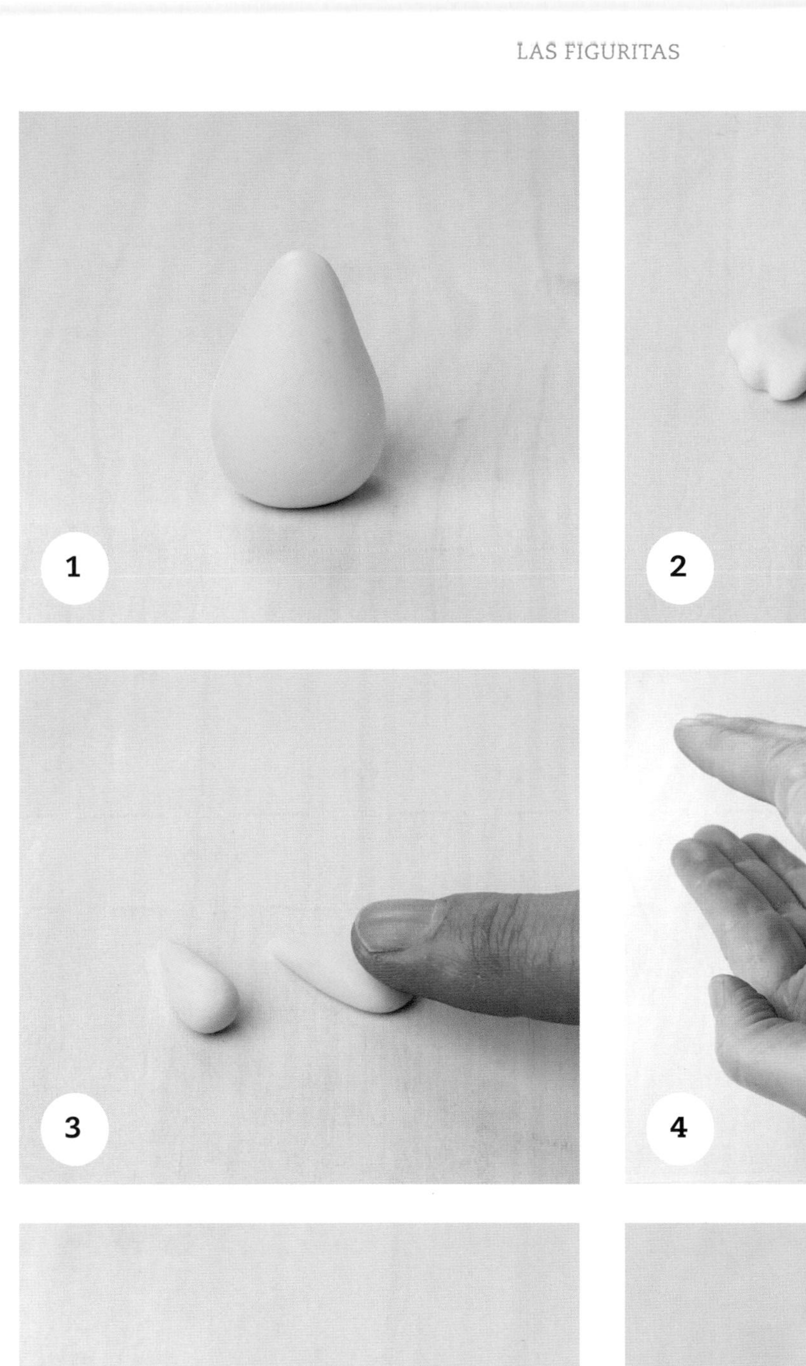
1
3

2

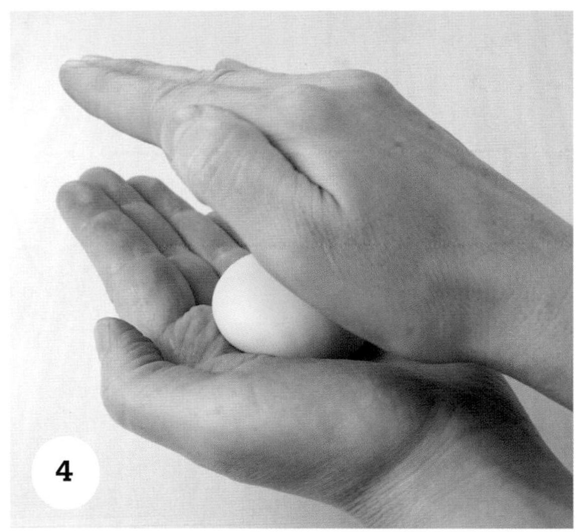
4

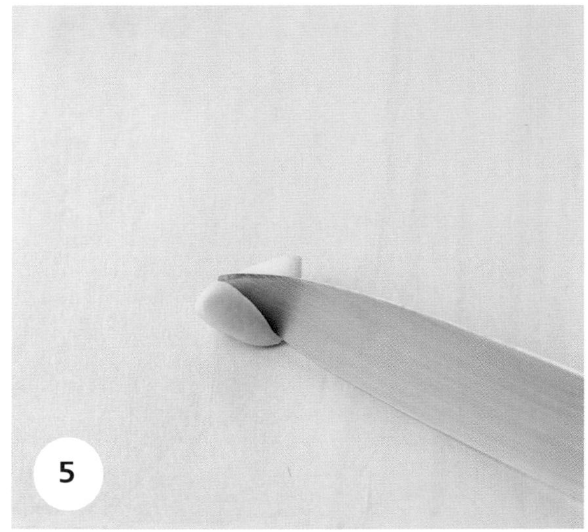
5

6

PIGGY Y PEPPER

Mi tía Diana es una de las personas más adorables del mundo. Es enfermera: durante el día cuida a un montón de niños, y cuando llega a casa, tiene que ocuparse de sus 14 mascotas.

Mi tía adopta todo tipo de animales. Desgraciadamente, a menudo son mascotas que nadie quiere.

Todos los animales la adoran y cada uno de ellos tiene una historia especial que contar. Tiene un gallo con una sola pata que la sigue a todas partes y cree que es un perro, dos loros inseparables de cara rosada y desplumados que tienen que llevar unos suéteres que ella les ha tejido, un burro, un perro sordo y una cacatúa muy mala que dice tantas palabrotas que la tiene que esconder en el patio trasero de la casa.

Todas las mascotas de la tía Diana son muy divertidas, y seguro que te gustaría conocerlas a todas, pero estos personajes para decorar pasteles se han inspirado en una amistad muy especial entre dos de sus mascotas: un gato llamado Pepper y un cerdo barrigón llamado Piggy. El gato y el cerdo son inseparables y se pasan el día tostándose al sol juntos en el porche trasero de la tía Diana.

Pepper reposa la cabeza encima de Piggy como si fuera una almohada, y los dos se echan a dormir. Comen juntos, persiguen a los perros juntos, molestan a los pájaros... Si pudieran, creo que incluso se casarían, pues se quieren muchísimo.

Así pues, estas figuritas son para alguien que se vaya a casar, que tenga un amigo del alma, o que simplemente le gusten los gatos y los cerdos. ¡Oinc, oinc, miau!

QUÉ NECESITAS

UTENSILIOS

Cuchillo de cocina pequeño
Pincel mediano
Bolsa con cierre zip
Herramienta de decoración
Rodillo pequeño

MATERIAL PARA 1 CERDO

Polvo Tylose
20 g de fondant rosa (cuerpo)
2 bolas de fondant rosa de 5 mm (pies)
2 bolas de fondant rosa de 5 mm (brazos)
50 g de fondant rosa (cabeza)
Espaguetis secos
Cinta de gasa blanca (velo; opcional)
1 bola de fondant rosa fuerte de 10 mm (hocico)
2 bolas de fondant rosa de 5 mm (orejas)
1 bola de fondant blanco de 5 mm (ojos)
1 bola de fondant negro de 5 mm (ojos)
1 bola de fondant rosa de 10 mm (cola)

QUÉ NECESITAS

MATERIAL PARA 1 GATO

Polvo Tylose
20 g de fondant negro (cuerpo)
1 bola de fondant blanco de 10 mm (barriga)
2 bolas de fondant negro de 5 mm (patas)
2 bolas de fondant blanco de 5 mm (patas)
50 g de fondant negro (cabeza)
Espaguetis secos
2 bolas de fondant negro de 5 mm (orejas)
2 bolas de fondant rosa de 5 mm (orejas)
1 bola de fondant blanco o rosa de 5 mm (ojos)
1 bola de fondant negro de 5 mm (ojos)
2 bolas de fondant blanco de 5 mm (mejillas de los bigotes)
1 bola de fondant rosa de 5 mm (nariz)
1 bola de fondant negro de 10 mm (cola)

CERDO PIGGY

Teñir el fondant: Mezcla los colores el día anterior si es posible, para conseguir que los colores intensos resulten más fáciles de trabajar. Consulta las páginas 178-179 para ver cómo se tiñe el fondant.

Medir y formar bolas: Mide cada porción de fondant requerido para cada parte del cuerpo y luego forma con ella una bola. Guárdalas dentro de una bolsa con cierre zip para que no se sequen.

Cuerpo: Trabaja la bola rosa de 20 g y forma un cono. Colócalo sobre una superficie de trabajo, con el extremo más plano como base.

Pies: Moldea las dos bolas rosas de 5 mm y dales forma de lágrima estirando un lado, haciéndolo más delgado. Alísalas con los dedos para formar dos pies de cerdo. Con el lomo del cuchillo, haz un pequeño corte en el extremo más grueso de cada lágrima (foto 1), para hacer las pezuñas. Fija las patas debajo del cuerpo del cerdo con una pincelada de agua. Moldea las patas pellizcándolas con los dedos.

Brazos: Moldea dos bolas rosas de 5 mm en forma de lágrimas. Con el lomo de un cuchillo, haz un pequeño corte en el extremo más grueso de cada lágrima, para hacer las pezuñas de cerdo. Pégalas al cuerpo con una pincelada de agua.

Cabeza: Moldea la bola rosa de 50 g hasta que esté blanda, lisa y perfectamente redonda. Coloca la bola en la palma de tu mano (asegúrate de que esté limpia y seca). Coloca la otra mano encima como si fueras a aplaudir, y luego presiona de forma suave e uniforme sobre la bola con ambas manos, para aplanarla.

Inserta dos trozos de 3 cm de espaguetis secos hasta la mitad de la base de la cabeza. Inserta los extremos de espaguetis que sobresalen del cuerpo para fijar la cabeza. Sujeta la cinta de gasa sobre la cabeza, para que parezca que el cerdo lleva un velo de novia.

Hocico: Aplasta la bola rosa fuerte de 10 mm entre tus dedos y forma un hocico. Quedará mejor si es un poco ovalado (foto 2). Pégalo en la cara del cerdo con una pincelada de agua. Con la herramienta de decoración o con el mango de un pincel, haz los dos agujeros de la nariz (foto 3).

Orejas: Moldea las dos bolas rosas de 5 mm en forma de conos. Aplánalos ligeramente y presiónalos con la herramienta de decoración. Pega las orejas con una pincelada de agua.

Ojos: Con la herramienta de decoración o el mango de un pincel, haz dos agujeritos en la cara para los ojos. Haz dos bolitas con la bola blanca y colócalas sobre los agujeros. Moldea dos bolitas más pequeñas de fondant negro y colócalas encima para hacer de pupilas.

Cola: Moldea la bola rosa de 10 mm en forma de cilindro largo y fino. Aplana un extremo con el dedo y luego pégalo debajo del cuerpo con una pincelada de agua. Para hacer un rabo rizado, enrolla la cola alrededor de tu dedo meñique y luego déjalo ir suavemente, para que conserve un poco la ondulación.

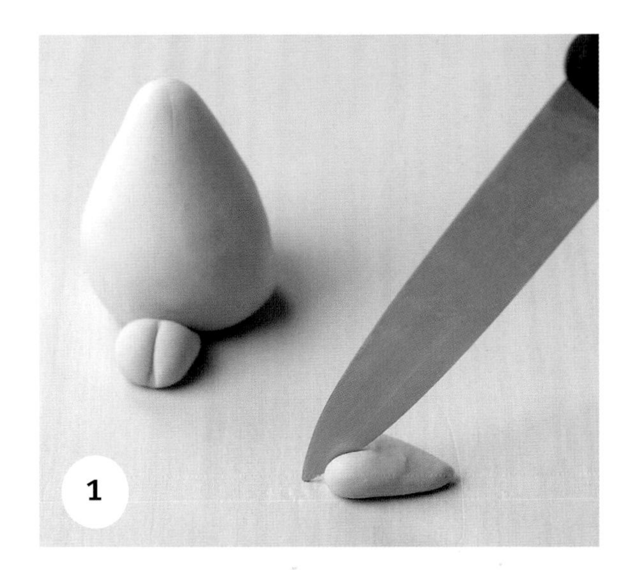

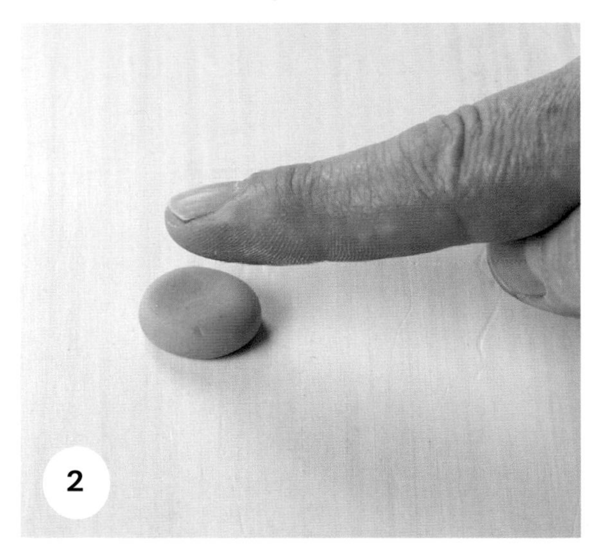

GATO PEPPER

Teñir el fondant: Mezcla los colores el día anterior si es posible, para conseguir que los colores intensos resulten más fáciles de trabajar. Consulta las páginas 178-179 para ver cómo se tiñe el fondant.

Medir y formar bolas: Mide cada porción de fondant requerido para cada parte del cuerpo y luego forma con ella una bola. Guárdalas dentro de una bolsa con cierre zip para que no se sequen.

Cuerpo: Trabaja la bola negra de 20 g y forma un cono (foto 1, pág. 135). Colócalo sobre una superficie de trabajo, con el extremo más plano como base..

Barriga: Extiende la bola blanca de 10 mm hasta alcanzar un grosor de 2 mm y recorta

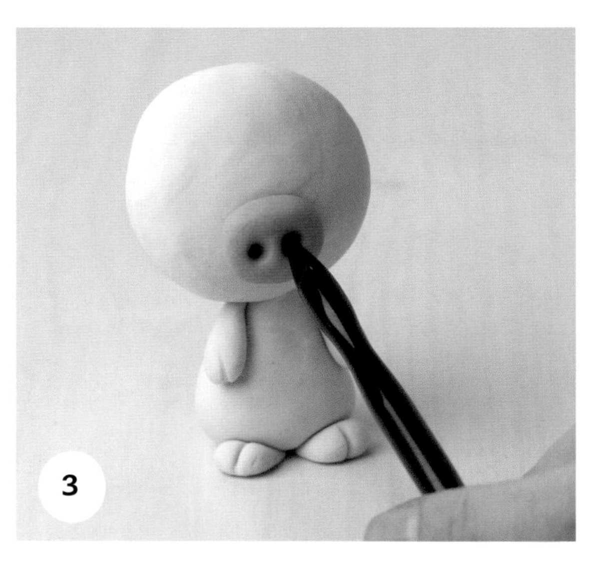

una forma ovalada con un cuchillo. Pégala al cuerpo con una pincelada de agua.

Patas: Parte las dos bolas negras y las dos bolas blancas de 5 mm por la mitad: de esta manera obtendrás cuatro bolas negras y cuatro bolas blancas.

Pega una bola blanca y una bola negra con una pincelada de agua. Repite el proceso con las bolas restantes, de modo que obtendrás cuatro bolas en blanco y negro (foto 2).

Moldea las bolas en forma de lágrima estirando suavemente el lado negro, haciéndolo más delgado (foto 3). Alisa las lágrimas con los dedos para formar una pata, haz marcas de dedos en la parte superior de las patas.

Coloca dos patas debajo del cuerpo, y dos patas a los lados del gato, fijándolas con una pincelada de agua. Moldea las patas pellizcándolas con los dedos.

Cabeza: Moldea la bola negra de 50 g hasta que esté blanda, lisa y perfectamente redonda. Coloca la bola en la palma de tu mano (asegúrate de que esté limpia y seca). Coloca la otra mano encima como si fueras a aplaudir, y luego presiona de forma suave e uniforme sobre la bola con ambas manos, para aplanarla.

Inserta dos trozos de 3 cm de espagueti secos hasta la mitad de la base de la cabeza. Fija la cabeza al cuerpo insertando en el cuerpo los extremos de espagueti salientes.

Orejas: Moldea las dos bolas negras de 5 mm en forma de conos. Aplánalos ligeramente y haz una hendidura con la herramienta de decoración.

Moldea las dos bolas rosas de 5 mm en forma de conos, hazlos un poco más pequeños que los conos negros. Colócalos en la hendidura con una pincelada de agua (foto 4). Ahora pega las orejas en la cabeza con una pincelada de agua.

Boca: Con la ayuda de la herramienta de decoración o el mango de un pincel, haz un agujero donde debería ir la boca, en el tercio inferior de la cabeza. Una vez hayas hecho el agujero, antes de extraer la herramienta, estira un poco el agujero hacia abajo para ensancharlo (foto 5).

Ojos: Con la ayuda de la herramienta de decoración o el mango de un pincel, haz dos agujeritos en la cara para los ojos. Haz dos bolitas con la bola blanca o rosa y colócalas sobre los agujeros. Moldea dos bolitas más pequeñas de fondant negro y colócalas encima para hacer de pupilas.

Almohadillas de los bigotes: Moldea dos bolas blancas de 5 mm hasta que estén suaves. Aplástalas suavemente entre los dedos para hacer las almohadillas de los bigotes a tu gusto. Pégalas en la cara del gato, a cada lado de la boca, con una pincelada de agua. Con la ayuda de la herramienta de decoración o con un trozo de espagueti, marca algunos agujeros de bigotes.

Nariz: Moldea otra bola blanca de 5 mm y pellízcala ligeramente para formar un pequeño triángulo, imitando la nariz de un gato. Pega la nariz entre las mejillas de los bigotes con una pincelada de agua.

Cola: Moldea la bola negra de 10 mm en forma de rulo largo y fino. Aplana un extremo con el dedo y luego pégalo debajo del cuerpo con una pincelada de agua. Para hacer un rabo rizado, enrolla la cola alrededor de tu dedo meñique y luego déjalo ir suavemente, para que conserve un poco la ondulación.

1

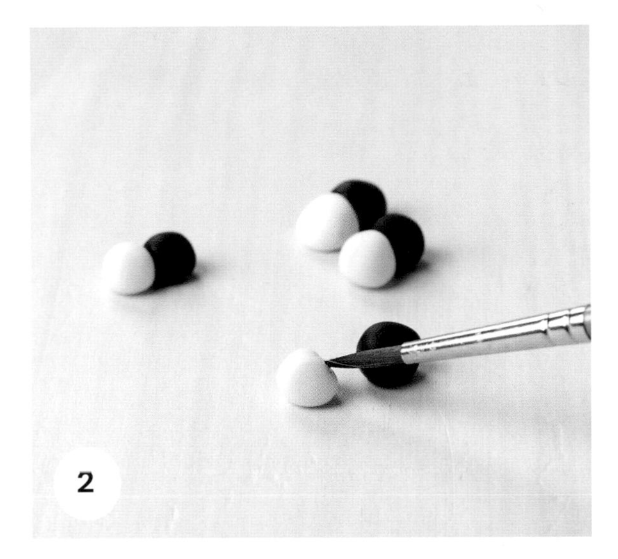
2

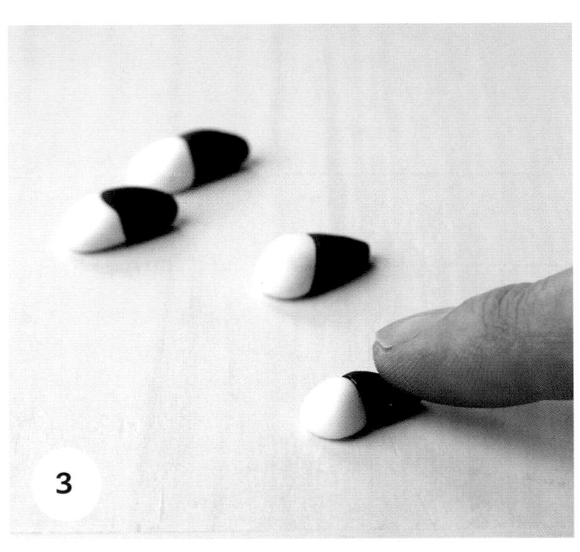
3

4

5

6

OSOS DE PELUCHE

A mi hija Estelle le encantan los muñecos de peluche. De hecho, tiene tantos que a veces, cuando ya se ha metido en la cama y voy a verla, no la puedo ver porque está sepultada bajo un montón de conejos, ositos y otros peluches.

Creo que lo mejor de los muñecos de peluche es que suelen ser muy suaves y una verdadera monada y siempre están ahí para darte un abrazo: son unos muñecos muy cariñosos que te aman incondicionalmente. Si te gustan los muñecos de peluche, te encantarán estas figuritas, basadas en tres de los osos favoritos de Estelle.

Te animo a que transformes tus figuritas en tus peluches favoritos. Ponles nombres y asegúrate de que el pastel que elijas para ellos esté repleto de arcoíris y nubes en los que puedan saltar. Los peluches pertenecen a un mundo mágico en el que siempre reina la alegría.

Este pastel resulta perfecto para niños pequeños y para bebés, pues les encantan los ositos de peluche. Puedes recrear su osito favorito con solo cambiar los colores y los detalles.

Si el pastel es para alguien más mayor, su osito puede tener un aspecto entrañable, incluso un poco viejo y deformado. Será una idea genial incluir todas estas cosas en tu figurita: puede que tenga una oreja rota o que le falte la nariz. Esto hará que el pastel sea aún más especial.

QUÉ NECESITAS

UTENSILIOS

Cuchillo de cocina pequeño
Pincel mediano
Bolsa con cierre zip
Herramienta de decoración

MATERIAL PARA 1 OSO DE PELUCHE

Polvo Tylose
20 g de fondant de color (cuerpo)
1 bola de fondant de color de 10 mm (patas)
1 bola de fondant de color de 10 mm (brazos)
50 g de fondant de color (cabeza)
Espaguetis secos
1 bola de fondant de color de 10 mm (orejas)
1 bola de fondant de color de contraste de 5 mm (orejas; opcional)
1 bola de fondant negro de 5 mm (ojos)
1 bola de fondant de color de 10 mm (ojos de oso panda; opcional)
1 bola de fondant blanco de 5 mm (ojos de oso panda; opcional)
1 bola de fondant de color de contraste de 5 mm (nariz)

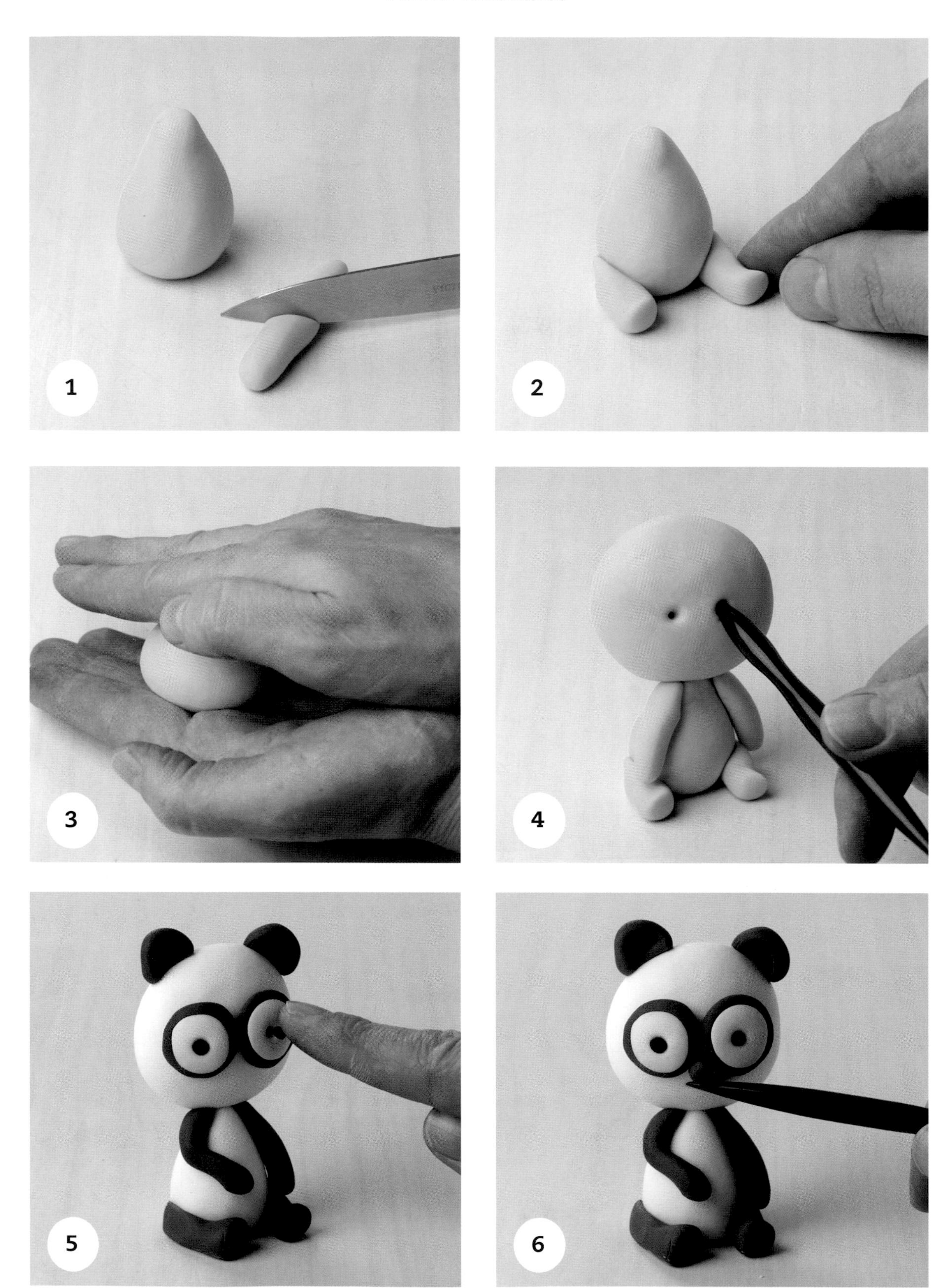
1
2
3
4
5
6

TEÑIR EL FONDANT

Mezcla los colores el día anterior si es posible, para conseguir que los colores intensos resulten más fáciles de trabajar. Consulta las páginas 178-179 para ver cómo se tiñe el fondant.

MEDIR Y FORMAR BOLAS

Mide cada porción de fondant requerido para cada parte del cuerpo y luego forma con ella una bola. Guárdalas dentro de una bolsa con cierre zip para que no se sequen.

CUERPO

Trabaja la bola de 20 g de color y forma un cono (foto 1). Colócalo sobre una superficie de trabajo, con el extremo más plano como base.

PATAS

Moldea una bola de color de 10 mm y forma un rulo. Corta el rulo por la mitad formando un ángulo oblicuo (foto 1). Suaviza la articulación (el ángulo) y luego pega cada pata en el oso con una pincelada de agua. Moldea los pies pellizcándolos con los dedos (foto 2).

ALAS

Moldea otra bola de color de 10 mm y forma otro rulo. Córtalo por la mitad con un cuchillo formando un ángulo oblicuo y luego pega los brazos en el oso con una pincelada de agua. Si quieres doblar los brazos, utiliza el lomo del cuchillo para marcar cada codo.

CABEZA

Moldea la bola de color de 50 g para que esté blanda, sin grietas y que tenga una forma perfectamente redonda. Coloca la bola sobre la palma de tu mano (asegúrate de que esté limpia y seca. Ahora coloca tu otra mano encima como si fueras a aplaudir. Presiona de forma suave y uniforme la bola con ambas manos, para aplanarla (foto 3).

Inserta dos trozos de espaguetis secos de 3 cm cada uno hasta la mitad de la base de la cabeza. Fija la cabeza sobre el cuerpo insertando los extremos de espagueti que sobresalen del cuerpo.

OREJAS

Aplana ligeramente otra bola de color de 10 mm, formando un círculo. Si quieres, moldea una bola de 5 mm de un color que contraste, aplánala ligeramente y colócala en el centro de la primera bola que has aplanado, fijándola con una pincelada de agua. Corta el círculo por la mitad, por el medio del color del centro, para obtener dos orejas. Pega las orejas en el lugar correspondiente con una pincelada de agua.

Nota: También puedes hacer orejas de koala marcando pequeñas líneas irregulares alrededor de las orejas.

OJOS

Con una herramienta de decoración o con el mango de un pincel, haz dos agujeritos en la cabeza para los ojos (foto 4). Forma dos bolitas con la bola negra de 5 mm y colócalas en los agujeros.

Ojos de oso panda (opcional): Moldea la mitad del fondant de color formando dos bolitas y aplánalas entre los dedos. Pégalas en la cara del oso con una pincelada de agua. Forma dos bolitas más pequeñas con el fondant blanco y repite el proceso. Para formar las pupilas, forma dos bolitas más pequeñas con el fondant de color restante y aplánalas. Pégalas con una pincelada de agua y colócalas encima de los ojos blancos (foto 5).

NARIZ Y BOCA

Moldea la bola de fondant de color de 5 mm formando una nariz. Pégala a la cara con una pincelada de agua. Haz una hendidura para la boca debajo de la nariz (foto 6).

LOS STOMPERS

Las oficinas de Planet Cake están en un bloque de pisos y encima de ellas hay otra empresa. Cada día la gente de las oficinas de arriba pisa con tanta fuerza y arma tanto barullo que les hemos puesto de mote los «Stompers» (los que pisan fuerte). Algunos días parece como si hubiera una manada de elefantes allí arriba, hacen tanto ruido que ni siquiera oímos nuestros pensamientos. Las tablas del suelo chirrían y a veces se oye lo que nosotros llamamos «una estampida»: parece como si alguien cruzara las tablas del suelo que tenemos encima.

Sin embargo, los Stompers no son un fenómeno poco habitual. Yo también era un poco Stomper de pequeña. No se refiere tan solo a cómo camina la gente; creo que ser un Stomper es más bien una cuestión de actitud.

Uno de mis pequeños Stompers favoritos es Hudson, de tres años de edad. No solo pisa fuerte, sino que también come arena, se viste de Spiderman (aunque olvida ponerse los pantalones) y está muy ocupado molestando a su hermano mayor, Charlie, y metiéndose con todo el mundo. ¡No hay duda de que es un Stomper!

Para el próximo cumpleaños de Hudson le haré un pastel de Stompers. Creo que también debería hacer uno para la gente de la oficina de arriba.

QUÉ NECESITAS

UTENSILIOS

Cuchillo de cocina pequeño
Pincel mediano
Bolsa con cierre zip
Herramienta de decoración

MATERIAL PARA 1 STOMPER

Polvo Tylose
50 g de fondant de color (cuerpo)
10 g de fondant de color (brazos)
30 g de fondant de color (cabeza)
Espaguetis secos
5 g de fondant de un color de contraste (cara)
1 bola de fondant de color de contraste de 5 mm (nariz)
5 g de fondant de color de contraste (ojos)
1 bola de fondant negro de 5 mm (ojos)
2 bolas de fondant negro de 10 mm (orejas)
1 bola de fondant rojo de 5 mm (corazón)

QUÉ NECESITAS

Mezcla los colores el día anterior si es posible, para conseguir que los colores intensos resulten más fáciles de trabajar. Consulta las páginas 178-179 para ver cómo se tiñe el fondant.

MEDIR Y FORMAR BOLAS

Mide cada porción de fondant requerido para cada parte del cuerpo y luego forma con ella una bola. Guárdalas dentro de una bolsa con cierre zip para que no se sequen.

CUERPO

Trabaja la bola de color de 50 g y forma un cilindro. Colócalo sobre una superficie de trabajo y presiónalo con la mano para aplanarlo. Corta con un cuchillo una línea recta en la base del cilindro para formar las piernas. Dobla las piernas y colócalas bien, dejando al Stomper tumbado. Utiliza el lomo del cuchillo o una herramienta de decoración para marcar la parte superior del muslo, dándole forma de «Y» (foto 1). Moldea los pies inclinándolos un poco hacia afuera.

BRAZOS

Moldea la bola de color de 10 g formando un rulo y córtalo por la mitad en ángulo oblicuo. Deja al Stomper tumbado y pega los brazos a los lados con una pincelada de agua (foto 2). Si quieres doblar los brazos, utiliza el lomo del cuchillo para marcar cada codo.

CABEZA

Moldea la bola de color de 30 g para que esté blando, sin grietas y que tenga una forma perfectamente redonda. Coloca la bola sobre la palma de tu mano (asegúrate de que esté limpia y seca). Ahora coloca tu otra mano encima como si fueras a aplaudir. Presiona de forma suave y uniforme la bola con ambas manos, para aplanarla (foto 3).

CARA

Aplasta una bola de color de contraste de 5 g, aplanándola. Pégala en la cara con una pincelada de agua (foto 4). Marca una hendidura para la boca con el lomo de un cuchillo

NARIZ

Aplasta suavemente la bola de fondant de color de 5 mm y dale forma ovalada. Pega la nariz en la cara con una pincelada de agua.

OJOS

Puedes hacerlos tan disparatados como quieras. Parte la bola de 5 g de color de contraste por la mitad y forma dos bolitas, o una. Aplánalas entre los dedos y fíjalas a la cara con una pincelada de agua.

Forma dos bolitas con la bola negra de 5 mm. Colócalas sobre los ojos o la cara para formar las pupilas, fijándolas con una pincelada de agua (foto 5).

Inserta dos trozos de espaguetis secos de 3 cm de longitud hasta la mitad de la base de la cabeza. Deja tumbado al Stomper, fija bien la cabeza sobre el cuerpo insertando los espaguetis que sobresalen del cuerpo. Deja que el Stomper se seque tumbado.

OREJAS

Moldea las dos bolas de fondant negro de 10 mm y forma pequeños conos. Aplana la base del extremo más ancho. Pega la base del extremo más ancho sobre la parte superior de la cabeza del Stomper con una pincelada de agua. Inclina ligeramente las orejas para que parezcan cuernos (foto 6) con los dedos.

CORAZÓN

Moldea la bola roja en forma de lágrima y aplánala suavemente. Haz una pequeña muesca en la parte superior. Pégala en el pecho con una pincelada de agua.

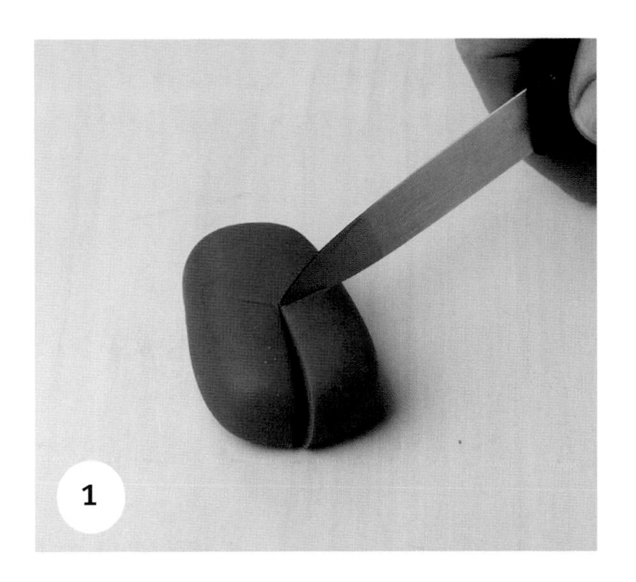
1

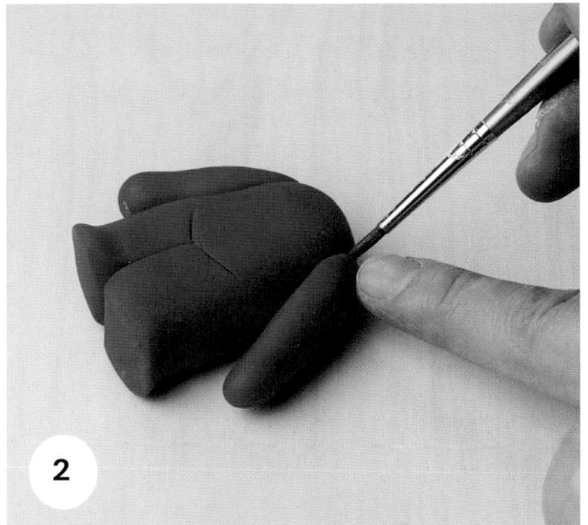
2

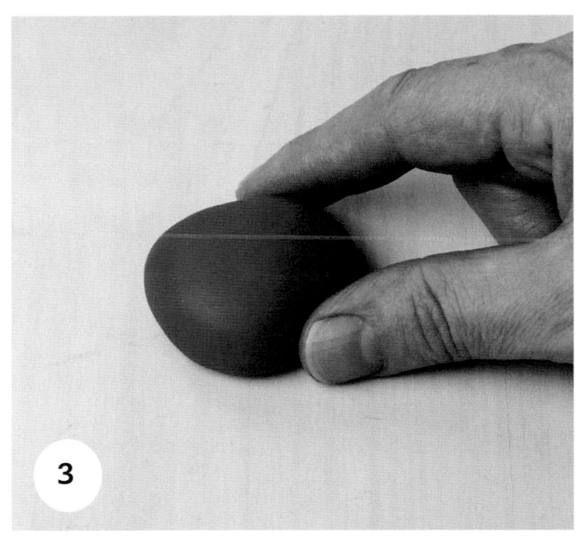
3

4

5

6

LOS CONEJOS NINJA

En Planet Cake trabaja una decoradora que se llama Jess. Además de hacer pasteles, Jess es campeona de kick boxing. Esto es bastante raro en una tienda de pasteles, pero realmente es nuestra propia ninja, así que me inspiré en ella para crear estos conejitos.

Dos conejos ninja se desafían el uno a otro en un enfrentamiento conejil. Son rápidos, ágiles y actúan como los ninjas. ¿Están luchando por un pastel o por unas zanahorias? Los conejos, al igual que los ninjas, poseen la velocidad del rayo, son diestros, pueden saltar y poseen otras habilidades especiales. Con tan solo sus patas, sus orejas y mucho autodominio, estos conejitos tan suaves se convierten en unos tipos duros en cuanto pisan el ring.

Estos conejos originalmente hacían artes marciales porque era guay y punto. Sin embargo, las artes marciales se practican por un sinnúmero de razones, entre ellas, la defensa personal, la competitividad, la salud física y para estar en forma. Haciendo gala de una extraordinaria dedicación y habilidad en alguien tan joven, cuando estos verdaderos terremotos despliegan sus habilidades son aclamados y aplaudidos a rabiar desde todos los rincones de las graderías.

Conozco a muchas personas que practican artes marciales, y a todos ellos les encantaría recibir figuritas como estas. Si utilizas las mismas ideas básicas, puedes transformar prácticamente a todos los personajes de las figuritas de este libro en ninjas.

QUÉ NECESITAS

UTENSILIOS

Cuchillo de cocina pequeño
Pincel mediano
Bolsa con cierre zip
Herramienta de decoración
Rodillo pequeño

MATERIAL PARA 1 CONEJO

Polvo Tylose
50 g de fondant blanco (cuerpo)
1 bola de fondant negro o de otro color de 5 mm (cinturón)
2 trozos de 6 g de fondant blanco (brazos y piernas)
4 bolas de fondant gris de 5 mm (patas)
50 g de fondant gris (cabeza)
Espaguetis secos
1 bola de fondant gris de 15 mm (orejas)
2 bolas de fondant rosa de 5 mm (orejas)

QUÉ NECESITAS

1 bola de fondant negro de 5 mm (ojos)
2 bolas de fondant gris de 5 mm (almohadillas de bigotes)
1 bola de fondant rosa de 5 mm (nariz)
1 bola de fondant blanco de 5 mm (dientes)

TEÑIR EL FONDANT

Mezcla los colores el día antes, si puedes, para que los colores intensos sean más fáciles de trabajar. Consulta las páginas 178-179 para ver cómo se tiñe el fondant.

MEDIR Y FORMAR BOLAS

Mide el fondant de cada parte del cuerpo, y con cada porción forma una bola. Para que no se sequen, guárdalas en la bolsa con zip.

CUERPO

Trabaja la bola blanca de 20 g y forma un cono. Colócalo sobre una superficie de trabajo, apoyado sobre la parte más ancha.

Marca una línea en el lugar donde colocarás el cinturón y luego graba en el pecho una «Y» para hacer la chaqueta (foto 1).

CINTURÓN

Moldea la bola negra de 5 mm y forma un rulo fino. Corta cada extremo con el cuchillo y luego rodea con él la cintura del conejo colocándolo en el lugar que has hecho la marca para el cinturón. Fíjalo con una pincelada de agua.

BRAZOS Y PIERNAS

Moldea las dos bolas blancas de 6 g hasta que estén blandas y sin grietas. Forma con cada una de ellas un rulo grueso y aplánalo en cada extremo. Uno de los rulos serán los brazos, y el otro, las piernas.

Corta los rulos por la mitad con un cuchillo, formando un ángulo oblicuo (foto 2). Suaviza las articulaciones (el ángulo) y a continuación pega los brazos y las piernas a tu conejo con una pincelada de agua.

PATAS

Moldea las cuatro bolas grises de 5 mm en forma de lágrima estirando suavemente un lado, haciéndolo más delgado. Aplana las lágrimas con el dedo para formar las patas. Con el lomo de un cuchillo, haz unos cortes

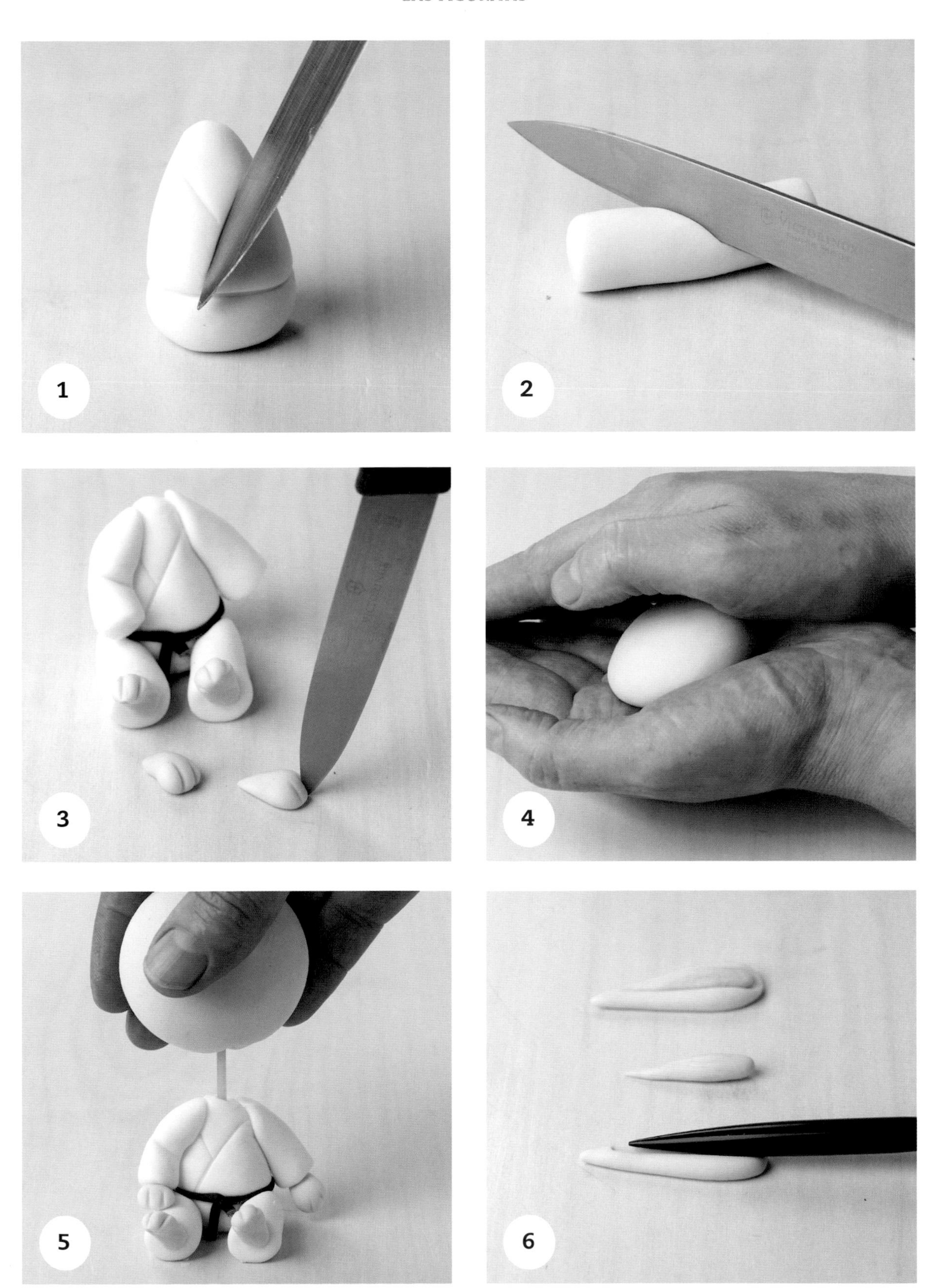
1
2
3
4
5
6

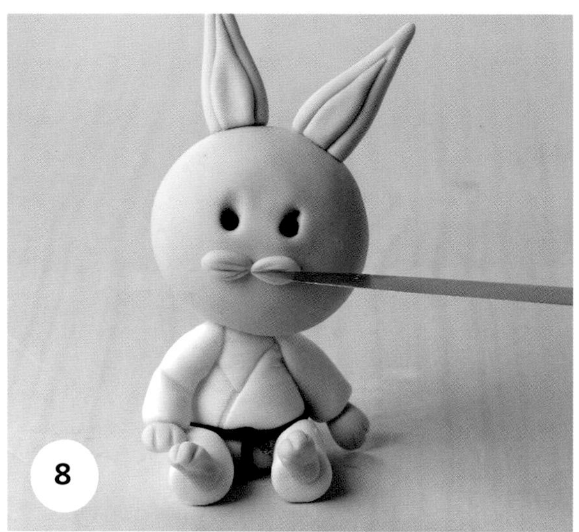

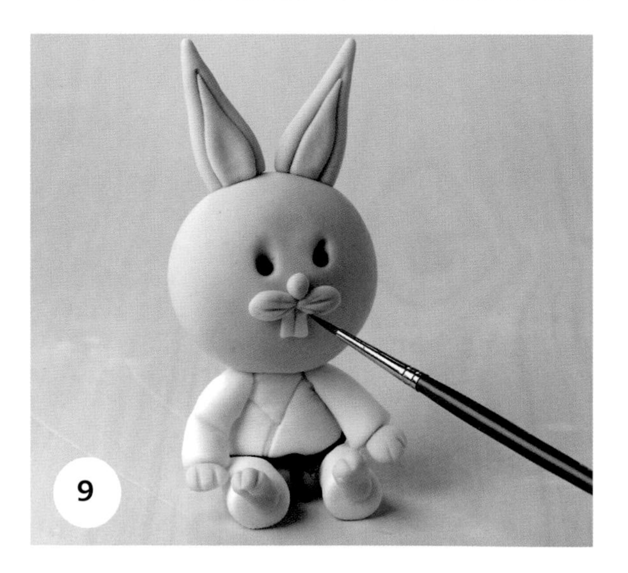

en la parte superior de las patas para formar los dedos (foto 3, pág. 147), ¡a menos que quieras hacer una pata en forma de patada de karate!

Pega las patas a los extremos de los brazos y las piernas del conejo con una pincelada de agua. Moldea las patas pellizcándolas con los dedos.

CABEZA

Moldea la bola gris de 50 g hasta que esté blanda, sin grietas y tenga una forma perfectamente redonda.

Coloca la bola sobre la palma de tu mano (asegúrate de que esté limpia y seca). Ahora coloca tu otra mano encima como si fueras a aplaudir. Presiona de forma suave y uniforme la bola con ambas manos, para aplanarla (foto 4, pág. 147).

Inserta un trozo de espagueti seco de 5 cm hasta la mitad de la base de la cabeza. Fija la cabeza al cuerpo insertando el extremo del espagueti que sobresale del cuerpo (foto 5, pág. 147).

OREJAS

Moldea la bola gris de 15 mm en forma de cilindro y córtalo por la mitad de forma transversal. Con cada mitad forma un cono de 4 cm. Aplánalos un poco y haz una hendidura con la herramienta de decoración (foto 6, pág. 147).

Moldea las dos bolas rosas de 5 mm y forma un cono un poco más pequeño que las orejas grises. Pega los conos sobre la hendidura de las orejas grises con una pincelada de agua.

Fija las orejas a la cabeza con trozos de 3 cm de espagueti seco.

OJOS

Con la herramienta de decoración o el mango de un pincel, haz dos agujeritos en la cara para colocar los ojos (foto 7).

Forma dos bolas pequeñas con la bola negra de 5 mm y pégalas en los agujeros para formar las pupilas.

ALMOHADILLAS DE BIGOTES

Aplasta suavemente entre los dedos las dos bolas grises de 5 mm para hacer las almohadillas para los bigotes que desees. Pégalas en la cara del conejo con una pincelada de agua.

BIGOTES

Utilizando el lomo de un cuchillo, haz tres líneas de bigote a cada lado de las almohadillas de tu conejo (foto 8).

NARIZ

Moldea tu bola rosa de 5 mm y pellízcala ligeramente hasta formar un pequeño triángulo (como la nariz de un conejo). Pega la nariz en la cara, en medio de las almohadillas de los bigotes, con una pincelada de agua.

DIENTES

Extiende la bola blanca de 5 mm hasta que tenga un grosor de 2 mm. Corta un cuadrado con un cuchillo y luego marca una línea en medio del cuadrado para formar dos dientes grandes de conejo.

Pega los dientes en la cara del conejo, justo debajo de las almohadillas de los bigotes, en el centro, con una pincelada de agua (foto 9).

LOS PERROS DEPORTISTAS

Los perros deportistas son para los amantes del deporte. Estas figuritas no son en absoluto para personas como yo, que no sabe nadar, ni parar una pelota ni dar una vuelta a la manzana sin jadear. Estas figuritas son para personas increíblemente… pues eso, ¡deportistas!

Los perros deportistas se pasan la mañana haciendo ejercicio: sus casas normalmente están repletas de equipos de entrenamiento y se enorgullecen de estar en buena forma. A lo largo de todo el año los perros deportistas practican todo tipo de deportes y realizan multitud de tareas importantes, como hacer de perros de rescate o perros policía.

Estas son unas figuritas ideales para alguien loco por los deportes. Si estás haciendo una figurita deportiva para ti o para otra persona, piensa en tu deporte favorito. ¿O quizás tienes un héroe deportivo favorito?

Puedes hacer que estas figuritas sean mucho más especiales añadiendo una pelota de su deporte favorito, como por ejemplo, una pelota de fútbol o de béisbol, y también puedes incluir los colores de su equipo deportivo, tanto en las figuritas como en la base del pastel.

QUÉ NECESITAS

UTENSILIOS

Cuchillo de cocina pequeño
Pincel mediano
Bolsa con cierre zip
Herramienta de decoración

MATERIAL PARA 1 PERRO DEPORTISTA

Polvo Tylose
20 g de fondant de color (cuerpo)
2 bolas de fondant de color de 5 mm (patas traseras)
1 bola de fondant de color de 15 mm (patas delanteras)
50 g de fondant de color (cabeza)
Espaguetis secos
2 bolas de fondant de color de 5 mm (orejas)
1 bola de fondant negro de 5 mm (ojos)
1 bola de fondant de color de 10 mm (cola)
1 bola de fondant negro de 5 mm (nariz)

TEÑIR EL FONDANT

Mezcla los colores el día anterior si es posible, para conseguir que los colores intensos resulten más fáciles de trabajar. Consulta las páginas 178-179 para ver cómo se tiñe el fondant.

MEDIR Y FORMAR BOLAS

Mide cada porción de fondant requerido para cada parte del cuerpo y luego forma con ella una bola. Guárdalas dentro de una bolsa con cierre zip para que no se sequen.

CUERPO

Moldea la bola de color de 20 g en forma de pera y colócala plana (foto 1).

PATAS TRASERAS

Moldea las dos bolas de color de 5 mm en forma de lágrima estirando suavemente un lado, haciéndolo más delgado. Aplana las lágrimas con el dedo y luego haz marcas con el lomo de un cuchillo en los extremos más anchos para formar las patas.

Pega las patas debajo del cuerpo con una pincelada de agua. Moldea las patas pellizcándolas con los dedos.

PATAS DELANTERAS

Moldea la bola de color de 5 mm en forma de rulo. Corta el rulo con un cuchillo en ángulo por la mitad. Haz un extremo de cada rulo un poco más fino que el otro. En el extremo ancho haz dos marcas con el lomo de un cuchillo para simular las patas.

Pega las patas delanteras en el perro con una pincelada de agua (foto 2). Si quieres que estén dobladas, utiliza el lomo de un cuchillo y dobla la articulación antes de pegar las patas delanteras al cuerpo.

CABEZA

Moldea la bola de 50 g de color para que esté blanda, sin grietas y que tenga una forma perfectamente redonda. Coloca la bola en una superficie plana, Presiona suavemente con el dedo índice sobre un lado de la bola para aplanarla un poco, dándole la forma de una cabeza de cachorro.

Con el lomo de un cuchillo, marca la boca cortando una «V» invertida debajo de la nariz (foto 3).

Inserta dos trozos de espagueti seco de 3 cm hasta la mitad de la base de la cabeza. Fija la cabeza al cuerpo insertando los espaguetis que sobresalen del cuerpo.

OREJAS

Moldea dos bolas de color de 5 mm dándoles forma ovalada hasta formar las orejas ovaladas de un cachorro con la ayuda de los dedos (foto 4). Pega las orejas sobre la cabeza con una pincelada de agua (foto 5).

OJOS

Con la ayuda de la herramienta de decoración o el mango de un pincel, haz dos agujeritos en la cabeza para colocar los ojos. Moldea dos bolitas con la bola negra de 5 mm y colócalas en los agujeros.

COLA

Moldea la bola de color de 10 mm en forma de rulo largo. Aplana un extremo con el dedo y luego pega este extremo debajo del cuerpo con una pincelada de agua. Para hacer una cola rizada, enrolla la cola alrededor de tu dedo meñique, de un lápiz o de un pincel, y luego suéltala suavemente, para que conserve algo de la ondulación.

NARIZ

Aplasta entre los dedos la bola negra de 5 mm restante para moldear la forma de nariz que desees (quedará mejor si es ligeramente ovalada). Pégala en la cara del cachorro con una pincelada de agua (foto 6).

1

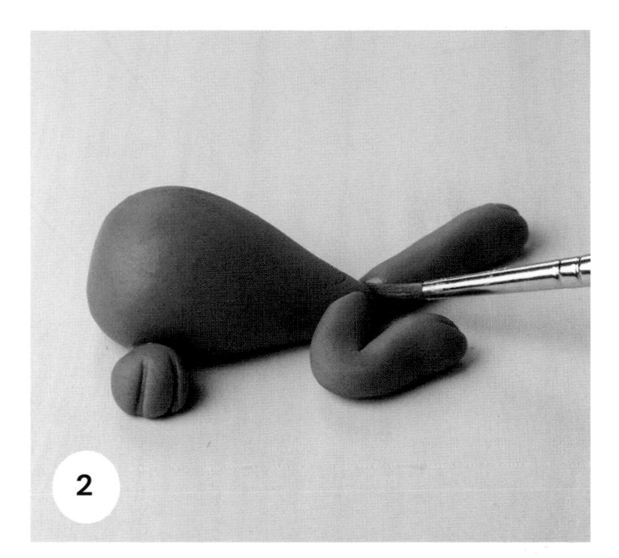
2

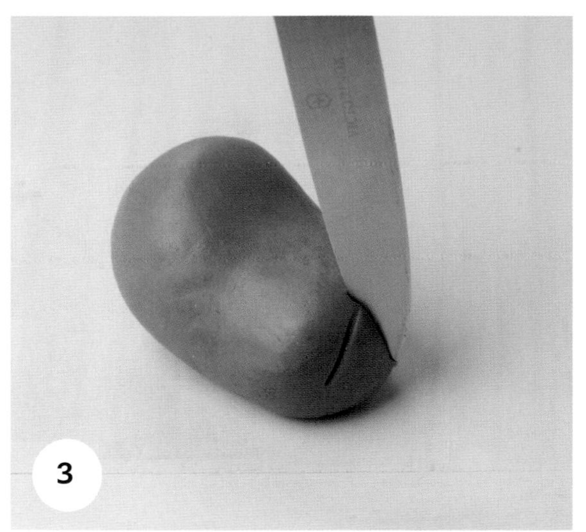
3

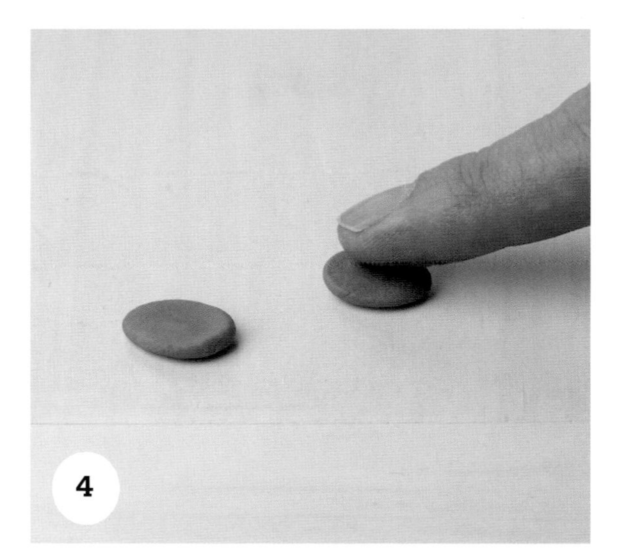
4

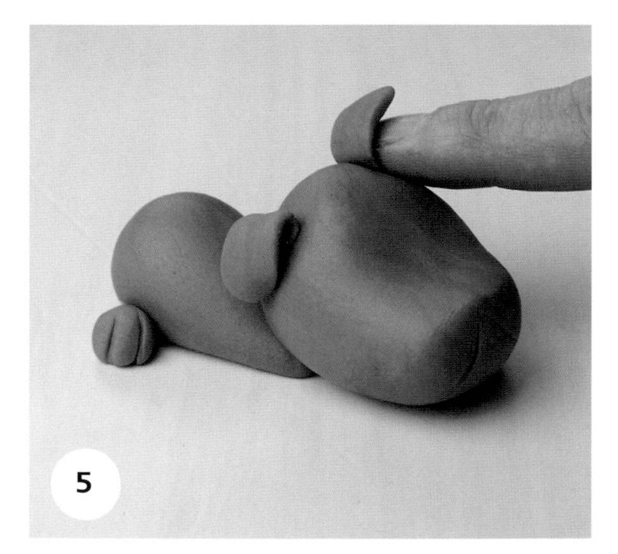
5

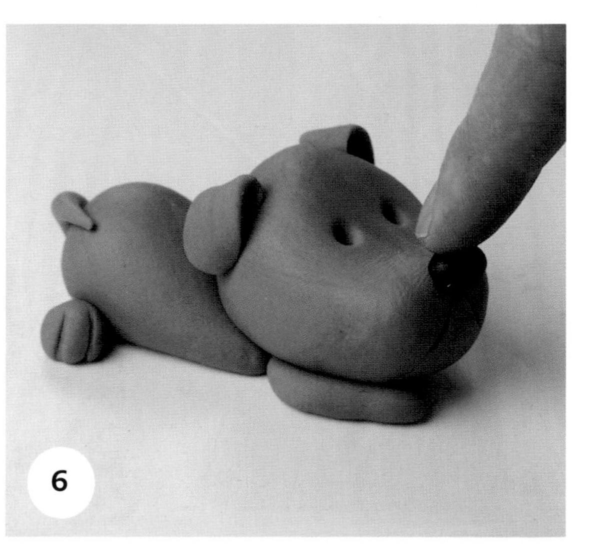
6

LOS BEBÉS ANGELITOS

Ha nacido un nuevo bebé en nuestra familia. Es una niña, su nombre es Tilly, y todo el mundo está loco por ella. Mi madre y mi tía se quedan extasiadas mirándola cuando está durmiendo, y están casi convencidas de que es el bebé más hermoso que han visto nunca, aunque mi mamá me dijo que yo también fui un bebé muy guapo, lo cual me dio algo de consuelo.

Todo el mundo va de acá para allá comprando regalos a Tilly. Tiene más juguetes que nadie, pero aún no es lo suficiente mayor como para poder jugar con ellos. Sus padres fotografían cada movimiento que hace, y cuando hay que cambiarle los pañales, mi familia opina que es una verdadera monada.

¿Por qué se arma tanto escándalo alrededor de este pequeño bebé? Porque es el miembro más joven de nuestra familia. Nos gusta jugar a adivinar a quién se parece más (tiene el pelo rubio como yo). Y lo que es más importante, queremos que se sienta lo más querida posible, para que siempre se sienta feliz y segura de sí misma. Esto es lo que hace tan especial a un bebé.

Aceptémoslo, son también condenadamente monos, y si tienes un hermanito, una hermanita o un primito muy pequeño, te prometo que seguramente te convertirás en su héroe. Así pues, ¿qué mejor pastel para un bebé o para alguien que está esperando un bebé que una figurita que sea un bebé?

Puedes personalizar esta figurita aún más con el color del pelo (o sin pelo), la ropa, los hoyuelos, o sencillamente con la expresión del bebé: ¡especialmente si es un bebé gruñón que llora mucho!

QUÉ NECESITA

UTENSILIOS

Cuchillo de cocina pequeño
Pincel mediano
Bolsa con cierre zip
Herramienta de decoración

MATERIAL PARA 1 BEBÉ ÁNGEL

Polvo Tylose
20 g de fondant de color (cuerpo)
20 g de fondant de color (piernas)
6 g de fondant de color (brazos)
4 bolas de fondant de color carne (manos y pies)
50 g de fondant de color carne (cabeza)
Espaguetis secos
2 bolas de fondant de color carne de 5 mm (orejas)
1 bola de fondant negro de 5 mm (ojos)
2 bolas de fondant blanco de 5 mm (alas)
Polvo para pétalos rojo (mejillas; opcional)
Harina de maíz (maicena) (mejillas; opcional)

TEÑIR EL FONDANT

Mezcla los colores el día anterior si es posible, para que los colores intensos resulten más fáciles de trabajar. Para ver cómo se tiñe el fondant consulta las páginas 178-179

MEDIR Y FORMAR BOLAS

Mide cada porción de fondant requerido para cada parte del cuerpo y con cada una forma una bola. Guárdalas dentro de una bolsa con cierre zip para que no se sequen.

CUERPO

Moldea la bola de 20 g en forma de pera y asiéntala sobre el extremo más ancho.

PIERNAS

Moldea las dos bolas de color de 20 g formando un cilindro. Corta el cilindro por la mitad con un cuchillo formando un ángulo oblicuo (foto 1). Suaviza la articulación (el ángulo) y pega las piernas al cuerpo del bebé con una pincelada de agua.

BRAZOS

Moldea la bola de 6 g en forma de cilindro. Córtalo por la mitad con un cuchillo formando un ángulo oblicuo (foto 2). Suaviza el hombro (el ángulo) y pega los brazos al cuerpo del bebé con una pincelada de agua.

BOTONES

Con una herramienta de decoración o la punta de una boquilla de manga pastelera, graba los botones en la parte frontal del cuerpo para hacer un mono (foto 3).

MANOS Y PIES

Moldea las cuatro bolas de color en forma de lágrima. Con el lomo del cuchillo marca los dedos en dos de las lágrimas. En las otras dos, corta un pulgar para formar las manos, y marca tres líneas para hacer los dedos restantes. Pega las manos y los pies con una pincelada de agua (foto 4).

CABEZA

Moldea la bola de 50 g de color carne hasta que esté blanda, sin grietas y que tenga una forma perfectamente redonda. Coloca la bola sobre la palma de tu mano (asegúrate de que esté limpia y seca). Ahora coloca tu otra mano encima como si fueras a aplaudir. Presiona de forma suave y uniforme la bola con ambas manos, para aplanarla (foto 5).

Inserta dos trozos de espaguetis secos de 3 cm cada uno hasta la mitad de la parte superior del cuerpo para fijar la cabeza. Pega la cabeza.

OREJAS

Moldea las dos bolas de color carne de 5 mm dándoles forma de bolitas. Pégalas a los lados de la cabeza con una pincelada de agua. Haz una hendidura en cada oreja con la herramienta de decoración (foto 6).

OJOS

Con la ayuda de la herramienta de decoración o el mango de un pincel, haz dos agujeritos en la cabeza para colocar los ojos. Moldea dos bolitas con la bola negra y colócalas en los agujeros.

BOCA

Haz un agujerito en la cara del bebé con el mango de un pincel para hacer la boca.

ALAS

Moldea dos bolas blancas de 5 mm en forma de lágrima y aplánalas. Pégalas en la espalda del bebé con agua y moldéalas con los dedos para darles forma de alas.

MEJILLAS (OPCIONAL)

Para crear el efecto de mejillas sonrosadas, mezcla un poco de polvo para pétalos rojo con harina de maíz y espolvorea un poco en las mejillas con un pincel seco (haz una prueba primero sobre un trozo sobrante de fondant de color carne).

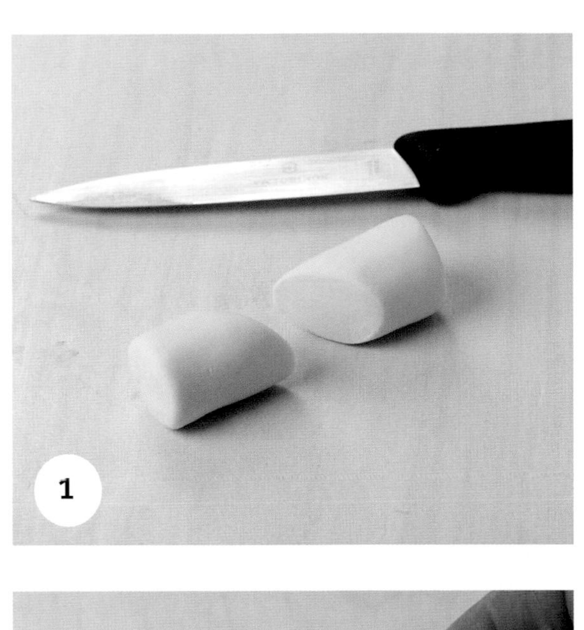
1

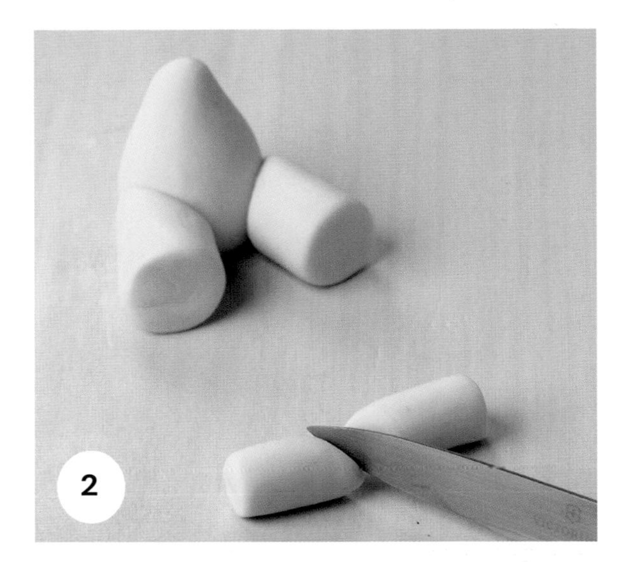
2

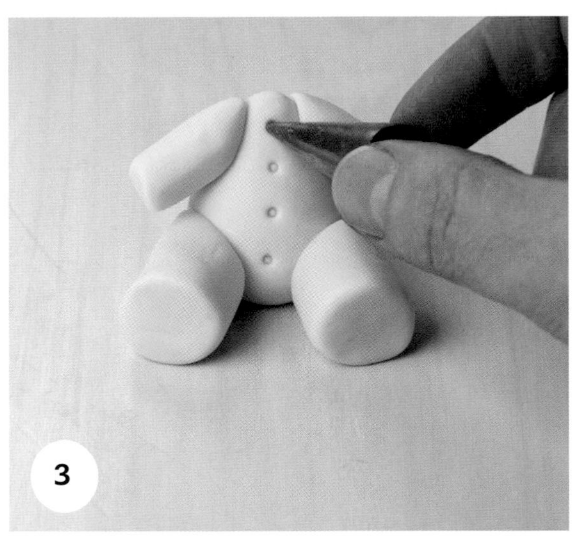
3

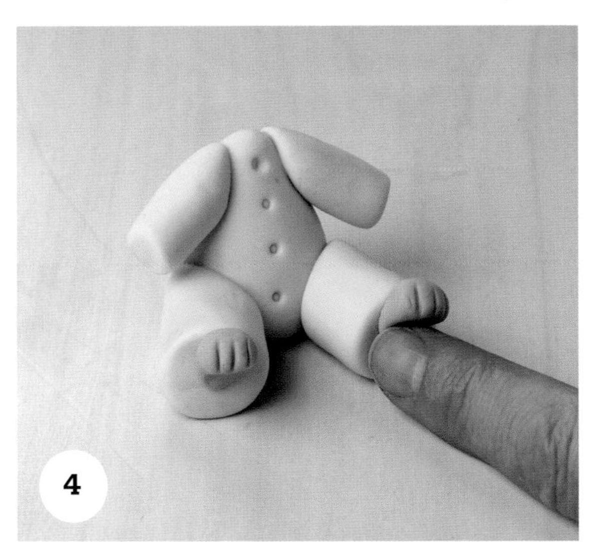
4

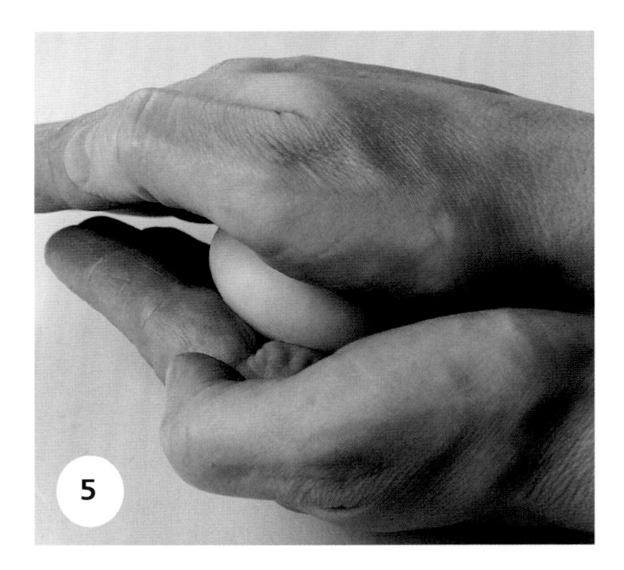
5

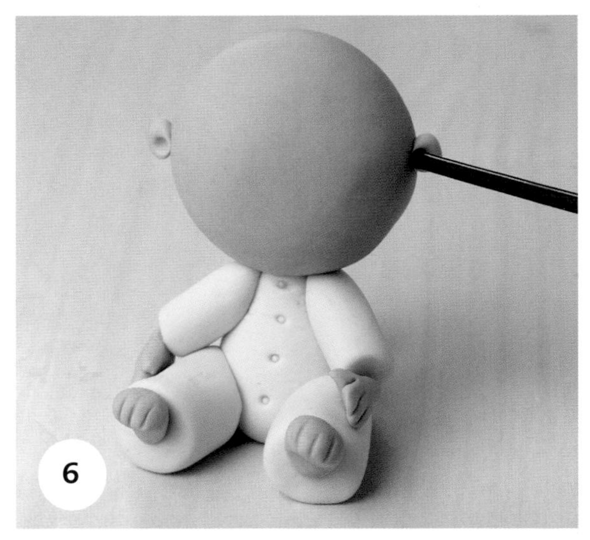
6

FAMILIA DE SUPERHÉROES

Tengo una familia realmente maravillosa, llena de gente loca. El miembro más mayor de la familia tiene 96 años, el más joven es un bebé, y en medio estamos todos los demás. Mi hermano es la peste, y nunca limpia lo que ensucia; mi papá es el favorito de todos; tengo una madrastra que se ríe tan fuerte que casi te revienta los tímpanos y a mi mamá le encanta la jardinería. Luego está mi hija, Estelle, que está loca por los caballos. Y en cuanto a mí… soy la «princesa» de la familia, así que todo el mundo disfruta gastándome bromas.

Cada familia es diferente, y eso es lo más maravilloso de todo. Cuando estés haciendo las figuritas de tu familia, no pienses solo en las personas con las que vives, sino también en todos tus seres queridos y en aquellas personas que sean verdaderamente importantes para ti.

Las figuritas funcionan mejor cuando piensas en qué es lo que hace a una persona única en tu familia. Si hago una figurita de mi hermano, siempre lo haré rodeado de cajas de pizza vacías y corazones de manzana podridos, porque es muy descuidado. Y si tuviera que hacer una figurita de mi madre, la haría con una flor en la mano.

Seguro que en tu familia hay alguien la mar de especial. Todas las familias tienen un superhéroe, o puede que incluso dos. Así pues, ¿por qué no le pones a esta persona una capa de superhéroe para su figurita? ¡Sería estupendo! Y recuerda que puedes confeccionar el traje con sus colores favoritos.

Creo que voy a ponerle una capa de superhéroe a mi papá. ¡Es mi héroe!

QUÉ NECESITAS

UTENSILIOS

Cuchillo de cocina pequeño
Pincel mediano
Bolsa con cierre zip
Herramienta de decoración
Rodillo
Pistola de modelar (opcional)
Pajita de plástico larga

MATERIAL PARA 1 ADULTO

Polvo Tylose
30 g de fondant de color carne (cabeza)
40 g de fondant de color (cuerpo)
5 g de fondant de color de contraste (calzones)
5 g de fondant negro (zapatos)
Espaguetis secos
2 bolas de fondant de color de 15 mm (del mismo color del cuerpo, para los brazos)
1 bola de fondant de color carne de 10 mm (manos)
15 g de fondant de color (capa; opcional)
1 bola de fondant blanco de 5 mm (ojos)
1 bola de fondant negro de 5 mm (ojos)
2 bolas de fondant de color carne de 5 mm (orejas)
20 g de fondant de color (pelo)

QUÉ NECESITAS

MATERIAL PARA 1 NIÑO

15 g de fondant de color carne (cabeza)
20 g de fondant de color (cuerpo)
1 bola de fondant de color de contraste de 15 mm (calzones)
1 bola de fondant negro de 15 mm (zapatos)
Espaguetis secos
2 bolas de fondant de color de 10 mm (del mismo color del cuerpo, para los brazos)
1 bola de fondant de color carne de 5 mm (manos)
10 g de fondant de color (capa; opcional)
1 bola de fondant blanco de 5 mm (ojos)
1 bola de fondant negro de 5 mm (ojos)
1 bola de fondant de color carne de 5 mm (orejas), partida por la mitad
10 g de fondant de color (pelo)

MATERIAL PARA 1 BEBÉ

15 g de fondant de color carne (cabeza)
10 g de fondant de color (cuerpo)
1 bola de fondant de color de contraste de 15 mm (calzones)
2 bolas de fondant de color de 5 mm (igual que el cuerpo, para las piernas)
1 bola de fondant de color de contraste de 5 mm (pies)
2 bolas de fondant de color carne de 5 mm (brazos)
5 g de fondant de color (capa; opcional)
2 bolas de fondant de color de contraste de 5 mm (chupete)
1 bola de fondant de color carne de 5 mm (orejas)
Espaguetis secos
1 bola de fondant de color de 15 mm (mechón de pelo)

SUPERHÉROE ADULTO

Teñir el fondant: Mezcla los colores el día antes, si puedes, para que los colores intensos sean más fáciles de trabajar. Consulta las páginas 178-179 para ver cómo se tiñe el fondant.

Medir y formar bolas: Mide el fondant de cada parte del cuerpo, y con cada porción forma una bola. Para que no se sequen, guárdalas en la bolsa con zip.

Cabeza: Moldea la bola de 30 g de color carne hasta que esté blanda, sin grietas y perfectamente redonda.

Cuerpo: Moldea la bola de 40 g de color en forma de cilindro de 6 cm de longitud y pártelo por la mitad con un cuchillo (foto 1).

Calzones: Aplana la bola de 5 g de color de contraste formando un disco de igual diámetro que el cuerpo. Pellízcale la parte frontal, dándole forma de calzones (foto 2).

Zapatos: Aplasta la bola negra de 5 g formando un disco de igual diámetro que el cuerpo (foto 3).

Armar el cuerpo: Pega los calzones entre la parte superior e inferior del cuerpo con una pincelada de agua. Pega los zapatos (disco negro) en la parte inferior del cuerpo con una pincelada de agua. Haz rodar el cilindro suavemente para que todos los trozos se unan (foto 4).

Para hacer las piernas, con el lomo de un cuchillo graba una línea descendente en el centro de la parte inferior del cuerpo, de los calzones a los pies (foto 5).

Inserta dos trozos de espaguetis de 3 cm hasta la mitad del cuello. Extiende horizontalmente el cuerpo sobre una superficie plana y déjalo secar.

Brazos y piernas: Moldea las dos bolas de color de 15 mm formando rulos y luego pégalos a los lados del cuerpo con una pincelada de agua, manteniendo los brazos planos a los lados.

Para hacer las manos, divide la bola de fondant de color carne de 10 mm en dos partes y forma con cada

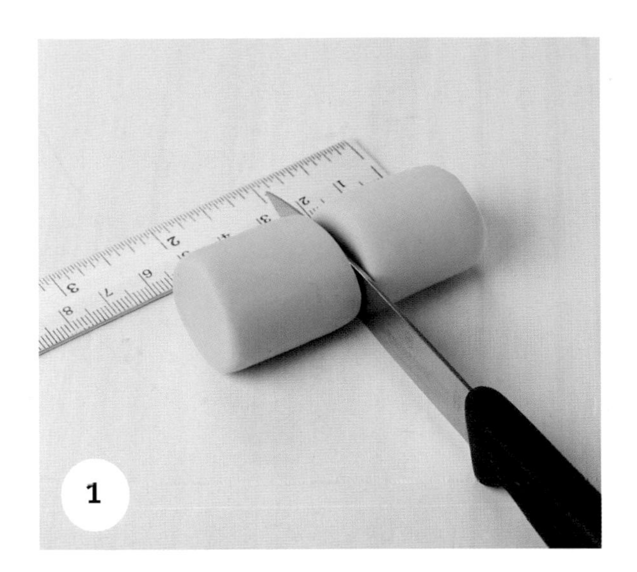
1

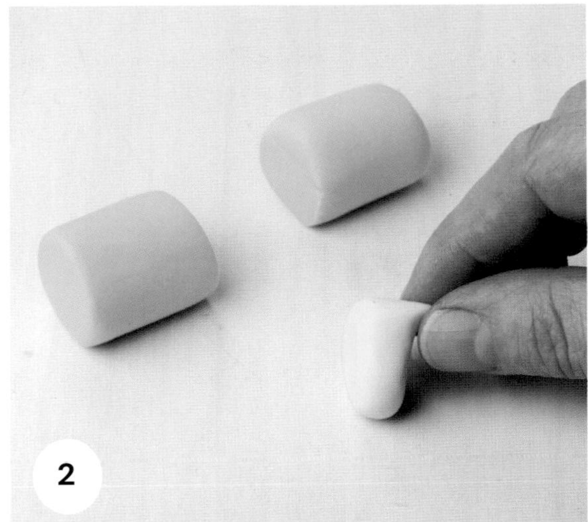
2

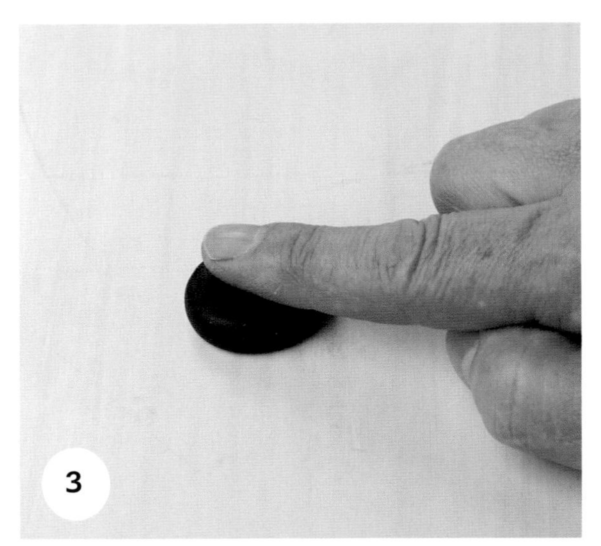
3

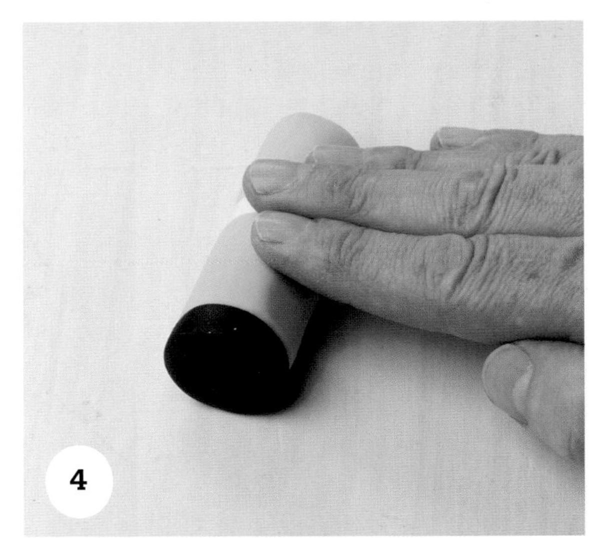
4

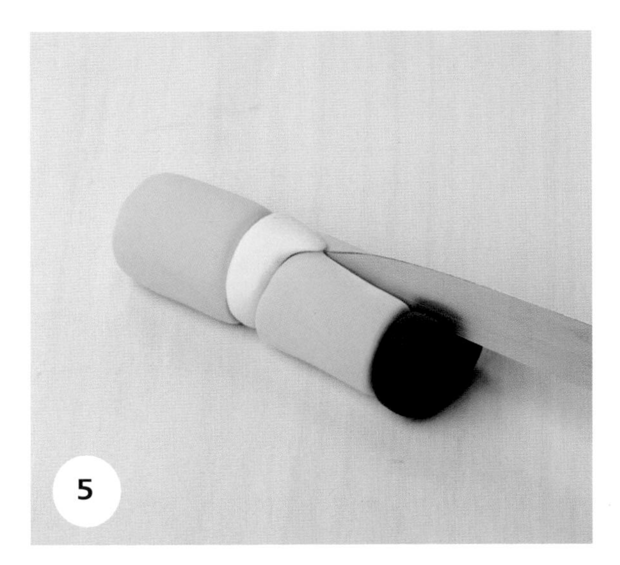
5

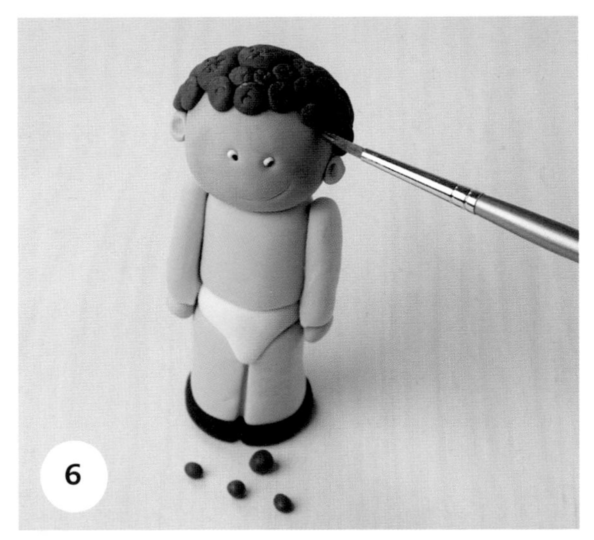
6

una de ellas una bola. Pega cada bola en el extremo de cada brazo. Utiliza el lomo de un cuchillo para marcar los dedos.

Capa (opcional): Extiende la bola de 15 g de color hasta alcanzar los 3 mm de grosor. Corta con el cuchillo un rectángulo de 6 cm de anchura, aproximadamente de la misma altura que tu superhéroe. Pega la capa sobre los hombros, doblando ligeramente 1 cm de la parte superior de la capa para crear un cuello.

Cara: Con la ayuda de la herramienta de decoración o el mango de un pincel, haz dos agujeritos en la cabeza para colocar los ojos. Moldea dos bolitas de fondant blanco y colócalas en los agujeros. Moldea dos bolitas más pequeñas y colócalas encima como pupilas. Graba la boca con una pajita de plástico o con el lomo del cuchillo. Pega la cabeza al cuerpo con el espagueti.

Orejas: Moldea las dos bolas de color carne de 5 mm formando dos bolitas. Pégalas a los lados de la cabeza con una pincelada de agua. Haz una hendidura en cada oreja.

Pelo

Pelo rizado: Amasa la bola de 20 g de color hasta que esté suave y manejable. Ve pellizcando trocitos del fondant, forma bolitas con ellos y luego pégalos en la cabeza con agua (foto 6, página 161).

Pelo guay: Amasa la bola de 20 g de color hasta que esté suave y manejable. Extiéndela hasta alcanzar los 2 mm de grosor. Corta triángulos pequeños y alargados, luego pega las puntas en la cabeza con una pincelada de agua. Riza hacia arriba el otro extremo del mechón de pelo.

Pelo de mamá: Amasa la bola de 20 g de color hasta que esté suave y flexible. Extiéndelo hasta alcanzar los 2 mm de grosor. Pásalo por una pistola de moldear para hacer hebras de espagueti y luego pégalos a la cabeza con una pincelada de agua.

Pelo de abuela: Amasa los 20 g de color hasta que esté suave y flexible. Extiéndelo hasta alcanzar los 2 mm de grosor. Corta con un cuchillo un círculo, pégalo en la parte superior de la cabeza y recorta el fondant sobrante con las tijeras. Haz una pequeña bola con el fondant sobrante y pégala encima con una pincelada de agua para crear un moño. Dibuja las líneas del pelo con el lomo de un cuchillo.

SUPERHÉROE NIÑO

Sigue las mismas instrucciones del superhéroe adulto, pero recuerda que todas las partes del cuerpo serán más pequeñas.

SUPERHÉROE BEBÉ

Da color al fondant, mídelo y forma bolas igual que con el superhéroe adulto.

Cabeza: Amasa la bola de 15 g de color carne hasta que sea blanda, sin grietas y perfectamente redonda (foto 1).

Cuerpo y calzones: Para hacer el cuerpo, moldea la bola de 10 g de color en forma de pera. Para los calzones, aplasta la bola de color de 15 mm formando un disco del mismo tamaño que la parte inferior del cuerpo (puede que necesites recortarlo un poco con un cuchillo). Pega el disco sobre la parte inferior del cuerpo con una pincelada de agua. A continuación, haz rodar el cuerpo para «mezclar» el disco con la parte inferior del cuerpo (foto 2).

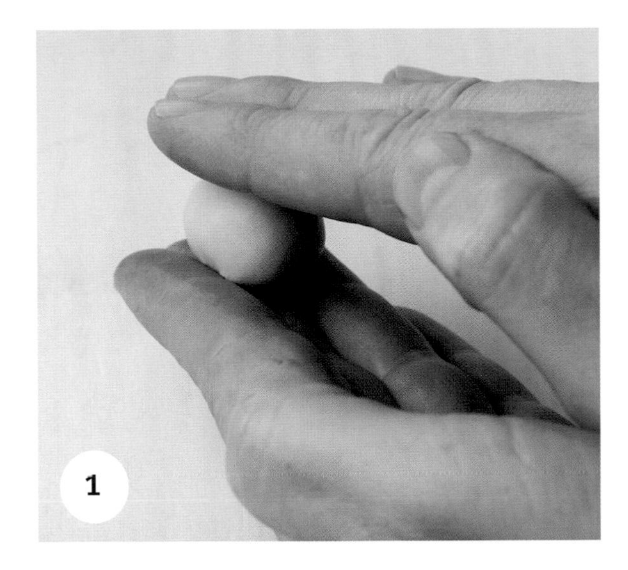

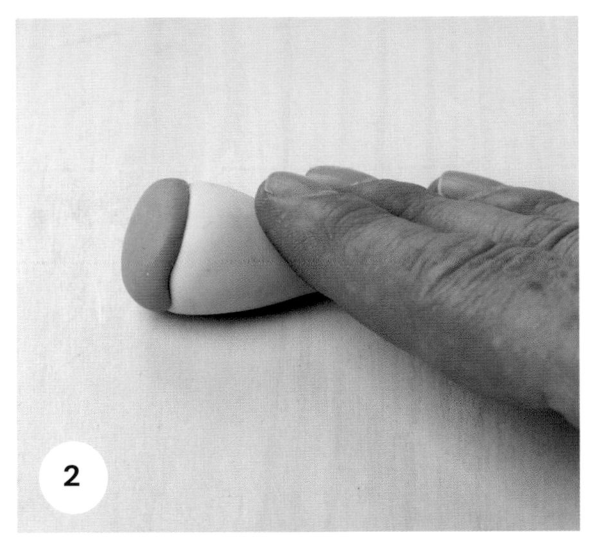

Piernas y pies: Para hacer las piernas, moldea dos rulos con las dos bolas de color de 5 mm. Suaviza la articulación (el ángulo) y pégalas al bebé con una pincelada de agua. Para hacer los pies, parte la otra bola de fondant de color por la mitad y forma dos bolas. Aplasta las bolas formando dos discos del mismo tamaño que los extremos de las piernas. Pégalos a las piernas con una pincelada de agua.

Brazos: Haz dos cilindros con las dos bolas de color carne de 5 mm. Pégalos al cuerpo con una pincelada de agua. Puedes hacer que descansen sobre las piernas si quieres.

Capa (opcional): Igual que con el adulto, pero utilizando la bola de 5 g de fondant de color.

Cara y chupete: Con la ayuda de una pajita de refresco, graba dos párpados para el bebé, o bien haz los ojos como los del adulto, utilizando bolitas blancas y negras.

Para hacer el chupete, toma las dos bolas de color de contraste de 5 mm (lo mejor es utilizar dos colores diferentes) y asegúrate de que una bola es el doble de grande que la otra. Aplástalas y pégalas sobre la boca del bebé con una pincelada de agua.

Para hacer las orejas, forma dos bolitas con la bola de color carne de 5 mm. Pégalas a la cabeza con una pincelada de agua.

Pega la cabeza al cuerpo utilizando un trozo de 5 cm de espaguetis secos.

Mechón de pelo: Moldea la bola de fondant de color de 15 mm en forma de pequeño cono. Retuércelo y pégalo sobre la cabeza con una pincelada de agua (foto 3).

LOS TRUCOS

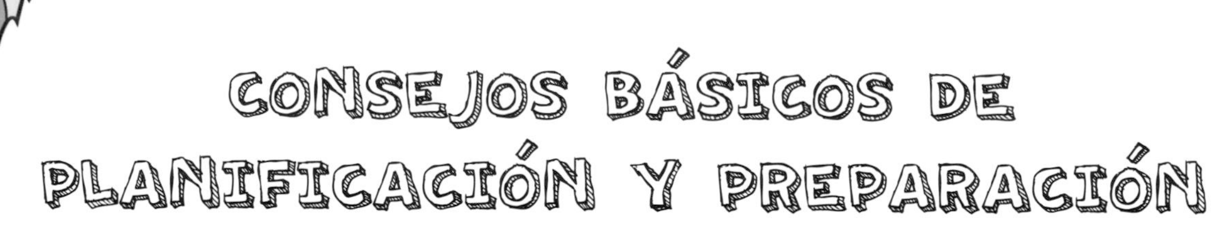

PLANIFICACIÓN

Dos semanas antes de elaborar tu pastel, repasa bien la receta para asegurarte de que cuentas con todos los materiales y los ingredientes necesarios. Elaborar y decorar un pastel siempre lleva más tiempo del que uno piensa y es importante estar lo más organizado posible para disfrutar al máximo de la experiencia. Recuerda que es posible que no siempre encuentres algunos productos o utensilios especiales y que tengas que encargarlos previamente a un proveedor.

EL DISEÑO

Los diseños que aparecen en este libro se pueden seguir al pie de la letra, o a medida que vayas adquiriendo más confianza, puedes personalizarlos según tus propias necesidades. Lo más fácil es cambiar la paleta de colores, pero también puedes cambiar los detalles de la decoración. Las técnicas se pueden adaptar fácilmente una vez hayas aprendido a manejarlas. Y, por supuesto, puedes intercambiar las figuras o los diseños de los pasteles.

Nota: En algunas figuritas se utilizan elementos no comestibles, como palillos, que es necesario retirar antes de servir el pastel..

LA PREPARACIÓN DEL ESPACIO DE TRABAJO

Asegúrate de que cuentas con todo lo que vayas a necesitar, incluido espacio en el congelador si vas a congelar el pastel antes de decorarlo; un espacio físico y las bases adecuadas; todos los utensilios e ingredientes a mano, como la harina de maíz (maicena) para espolvorear ligeramente la superficie de trabajo, así como film transparente. El fondant se seca con mucha rapidez y, por tanto, siempre debes envolverlo en un plástico, o bien, si ya está extendido, debes cubrirlo con film.

LA REGLA DE LOS TRES DÍAS

Es muy importante: si deseas crear un pastel delicioso y de aspecto profesional, ese es el tiempo que necesitas para su decoración, y no sirve de nada tratar de precipitarse. Los pasteles a los que no se les ha dado tiempo para enfriarse, o no se ha dejado asentar adecuadamente la ganache, serán unos cimientos muy débiles para el resto de la decoración.

Día 1: Elabora el pastel básico y deja que se enfríe durante el tiempo estipulado. La mayoría de los pasteles básicos (págs. 24-27) se pueden guardar durante una semana en un recipiente hermético o en el congelador durante un tiempo máximo de dos meses antes de decorarlos.

Dia 2: Corta el pastel, cúbrelo con la ganache (págs 28-41) y deja que se asiente en el tiempo estipulado

Dia 3: Decora el pastel.

LA GANACHE

Observa atentamente cómo elaboramos los pasteles con ganache para conseguir realizar bordes limpios y afilados. La ganache también sabe mucho mejor que el suero de mantequilla que utilizan algunos reposteros y permite que el pastel se conserve durante mucho más tiempo.

EL FONDANT PREPARADO

En Planet Cake solo utilizamos un tipo de fondant que proporciona un espléndido brillo satinado final y es muy fiable. Siempre lo compramos ya preparado de fábrica, pero si prefieres elaborar tu propio fondant, consulta la receta que aparece en la página 175. Como primero elaboramos los pasteles aplicando una capa dura y tersa de ganache que oculta todas las imperfecciones y le proporciona una perfecta base, esto nos permite utilizar solo una fina capa de fondant.

LA MÁQUINA DE PASTA

Uno de los «trucos» que empleamos en Planet Cake es utilizar una máquina para elaborar pasta que nos permite extender el fondant de manera uniforme. Si no tienes una máquina de pasta, puedes comprar una barata, te resultará mucho más sencilla de manejar que el tradicional rodillo de madera. Incluso puedes utilizar la máquina de espaguetis para elaborar el pelo de la familia de superhéroes (lo puedes ver en la foto de la página 158).

EL RASPADOR FLEXIBLE

Otro utensilio muy útil es nuestro raspador flexible, una de las creaciones que más nos enorgullecen. Puedes crear el tuyo utilizando un plástico duro pero que, al mismo tiempo, se mantenga flexible (véase el glosario de la página 171). Lo utilizamos para pulir y sacar brillo al fondant, ya que ese es el «secreto» para crear los bordes afilados que confieren a nuestros pasteles un aspecto profesional.

LA CONSERVACIÓN Y EL TRANSPORTE DEL PASTEL

Mantén tu pastel decorado lejos del agua, ya que esta «quema» el fondant y lo mancha. La luz del sol desvanece el color del fondant y el calor lo ablanda, derritiendo los adornos. Sin embargo, nunca metas en el frigorífico un pastel decorado con fondant, ya que el entorno húmedo hace que el fondant sude. Una vez acabado, guarda el pastel en una caja de pastelería sobre una base antideslizante para evitar que se mueva.

UTENSILIOS

Este es el conjunto de utensilios básicos que vas a necesitar para hacer figuritas y decorar pasteles. No es necesario que compres todas estas herramientas de una vez y tal vez prefieras comenzar con algunos artículos sencillos, como un par de cortadores circulares, alisadores de fondant y una espátula, e ir aumentando después poco a poco tu caja de herramientas.

1. Huevo de espuma de poliestireno
2. Herramienta de decoración
3. Esteca de bola
4. Pinceles gruesos y finos; lápiz 2B
5. Base de goma antideslizante
6. Cortadores del alfabeto (para cumpleaños)
7. Regla de medir
8. Bolsas con cierre zip para guardar el fondant
9. Cinta métrica
10. Tijeras para recortar las decoraciones de fondant
11. Espaguetis crudos, como soporte para las piezas de las figuritas
12. Bloque de poliestireno para guardar las figuras para pasteles (opcional)
13. Espátula dentada (opcional)
14. Raspador flexible (pieza de acetato de bordes redondeados, para alisar el fondant)
15. Pistola de modelar (opcional)
16. Boquilla lisa (para el pastel de cementerio)
17. Boquilla de estrella (para el pastel de dibus)
18. Cuchillo de cocina afilado
19. Cuentagotas
20. Marcador de costuras (para el pastel ring de artes marciales)
21. Palillos
22. Cortadores circulares
23. Pajita de plástico larga
24. Rodillo de amasar pequeño
25. Papel Din A4 y papel de hornear, para hacer plantillas

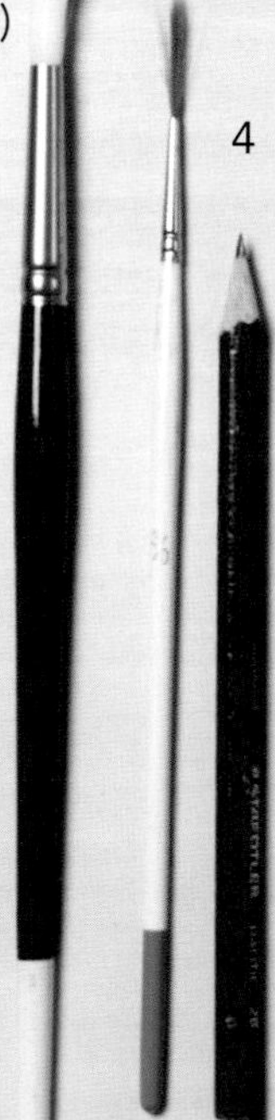

2

3

1

11
12
25
23
24
5
22
21
7
6
8
13
18
19
20
14
9
16
17
15
10

GLOSARIO

Muchos de estos artículos se pueden encontrar en tiendas especializadas. Algunos, más cotidianos, en supermercados o tiendas de utensilios de cocina.

Alambre floral. Se encuentra en tiendas de decoración de pasteles. Se utiliza como apoyo de elementos tridimensionales de fondant y para sujetarlos al pastel. Presenta varios grosores, o calibres, y el más utilizado es el de calibre 22. En los pasteles para niños, es mejor utilizar espaguetis crudos.

Alcohol alimentario. Tiene un 5 % de esencia de rosas. Se utiliza para pintar y eliminar las manchas de fondant. El vodka puede ser un buen sustituto.

Alisadores. También se llaman «espátulas» o «paletas». Estos alisadores de plástico, rectangulares, planos y con asas, se utilizan para aplastar las burbujas de aire que se encuentran en el fondant y conseguir un acabado liso y brillante. Para cubrir los pasteles siempre necesitas al menos dos alisadores.

Bases de goma antideslizante. Se colocan sobre el plato giratorio o bajo el pastel para evitar que resbale. También se puede colocar debajo del pastel para transportarlo en una caja.

Bases para pasteles. Normalmente son de tablex o cartón dorado o plateado y se encuentran en tiendas de artículos de decoración de pasteles. La base de colocación debe tener el mismo tamaño que el pastel (un pastel redondo de 22 cm se debe colocar sobre una base redonda de 22 cm), sirven de guía para la ganache y para manejar fácilmente el pastel sin manchar la base de presentación. La base de presentación o base «final» debe ser entre 10 y 15 cm más grande que el pastel.

Mangas de plástico desechables. Se encuentran en la mayoría de tiendas de artículos de decoración de pasteles y en algunos supermercados.

Boquillas y acoplador para mangas. El tamaño y la forma de la abertura de una boquilla determinan el tipo de decoración que va a crear. A veces se las denomina boquillas de decoración o de pastelería. El acoplador se coloca entre la manga y las boquillas. Se puede atornillar la boquilla al acoplador y cambiarla con facilidad para emplear distintos tamaños y formas sin necesidad de cambiar la manga pastelera.

Cinta floral. Puede retorcerse para crear un efecto, pero también se utiliza para cubrir alambres o pasadores antes de insertarlos en el pastel. Algunas están cubiertas con papel verde.

Cobertura. Es un chocolate natural y dulce sin grasas añadidas. Se utiliza para untar, moldear, recubrir y otros fines similares.

«Cola». Para fijar adornos o secciones de fondant encima de los cupcakes, solo hace falta una pincelada de agua. Utiliza este «adhesivo» como lo harías con cola de verdad, intentando no humedecer demasiado las piezas.

Colorante alimentario. El colorante en pasta es el más concentrado de los colorantes para alimentos. Mezcla esta pasta directamente con el fondant para teñirlo, o bien mézclala con alcohol alimentario para pintar. El colorante líquido es parecido, pero menos intenso.

Cortadores del alfabeto. Geniales para decoradores de pasteles y chefs. Hay sets de hojalata o plástico, y en diferentes fuentes.

Cortadores. A menudo se venden en juegos de varias formas y tamaños. Son de plástico o acero inoxidable.

Espátula dentada. Resulta idónea para marcar y repujar un diseño dentado. Tiene multitud de usos con el fondant, y está hecha de plástico o de acero inoxidable. Su forma más común es la de un triángulo o rectángulo, pero también existe en otras formas. Se encuentra en tiendas de artículos de decoración de pasteles.

Espátula pastelera. Es de metal y lisa. Se usa para alisar la ganache y también puede servir para trasladar el pastel de una base de montaje a la de presentación. La espátula «acodada» tiene la hoja en forma de ángulo, mango de plástico y se utiliza para aplicar la ganache sobre pasteles y cupcakes. Se pueden encontrar en tamaño grande y pequeño.

Esteca de bola. Es un palo de plástico con una bola en cada extremo. Para realizar bordes redondos y curvas tersas cuando quieras modelar o crear pétalos de flores.

Fondant de color. Para hacer fondant rojo o negro, necesitarás un fondant de color, disponible en las tiendas de artículos de decoración de pasteles. La ventaja del fondant de color es la intensidad del pigmento de color.

Fondant preparado. Llamado pasta de azúcar, pastillaje o masa elástica. El ingrediente básico del fondant es el azúcar glas de repostería, al cual se le añade gelatina, jarabe de maíz (o glucosa) y glicerina hasta conseguir una pasta maleable. Se extiende para recubrir pasteles y cupcakes y después se alisa, ofreciendo una superficie, semejante a la porcelana, que se puede pintar, abrillantar, acolchar, recortar o estampar. Puede ser de color blanco o marfil y se puede teñir de cualquier color del arcoíris. También se utiliza para modelar y cortar formas tridimensionales con fines decorativos, como lazos, pajaritas y figuras recortadas. El fondant de buena calidad es caro, pero merece la pena comprarlo.

Ganache. Mezcla de chocolate y nata que se utiliza para rellenar o cubrir los pasteles. Se puede elaborar con chocolate negro, con leche o blanco.

Gel para decorar (piping gel). También llamado gelatina para abrillantar, es un gel transparente y pegajoso que se vuelve fluido cuando se calienta. Cuando se asienta, confiere al pastel un aspecto brillante.

Glasa real. Es una mezcla de clara de huevo o albumen y azúcar glas, con un poco de zumo de limón o vinagre. Se puede teñir con colorante alimentario y extenderse sobre los pasteles y las bases, y se asienta con mucha fuerza. También puede emplearse para decoración. Puedes comprar glasa real instantánea a la que solo hay que añadir agua, o bien puedes elaborar tu propia glasa real utilizando la receta que aparece en la página 177.

Glasé. Es un producto o mezcla que da una apariencia brillante a los pasteles o a los adornos.

Glicerina. Jarabe líquido incoloro e inodoro elaborado con grasas y aceites que se utiliza para conservar la humedad y añadir un toque dulce a los alimentos. Se añade al fondant para recuperar su consistencia; se utiliza para suavizar el fondant o la glasa real, y también para suavizar los colores del fondant seco.

Harina de maíz (maicena). Se utiliza en la decoración de pasteles para espolvorear la superficie de trabajo antes de extender el fondant. Es más fina que el azúcar glas. Debe utilizarse con moderación, ya que puede secar el fondant.

Herramienta de decoración. Para superficies blandas, como pasta de azúcar, pasta de modelar, pasta de flores o mazapán.

Huevo de espuma de poliestireno. También se conoce como huevo de Pascua de espuma de poliestireno o bola de espuma de poliestireno. Se encuentran en tiendas de manualidades.

Máquina de pasta. Para elaborar pasta italiana casera, y resulta muy útil para extender el fondant, ya que lo extiende perfectamente, con un grosor uniforme.

Marcador de costuras. Herramienta, más comúnmente conocida como rueda de trazado, que contiene una sierra dentada unida a un mango. Se utiliza en la confección de ropa para transferir las marcas del patrón a la tela; pero también crea un efecto de costura perfecto en el fondant. Existen dos tipos básicos de marcadores: con el borde dentado y con el borde liso. Necesitas el que tiene borde serrado, que lo encontrarás en cualquier mercería.

Mazapán. También se conoce como pasta de almendra y se hace con almendra pelada y molida y azúcar glas. Se aplica como una capa muy fina en los pasteles de fruta antes de cubrirlos con glasa real o fondant. También se utiliza para hacer flores y frutas.

Papel de acetato. Conocido como papel u hoja de plástico, es un artículo estándar en el mundo de las artes gráficas, la paquetería, la impresión y los revestimientos.

Pinceles. Los pinceles finos se pueden utilizar para pintar, cepillar las migas o eliminar el azúcar glas de las esquinas más difíciles, así como para aplicar colores en polvo o líquidos. Los pinceles anchos son muy útiles para limpiar los restos de la base del pastel.

Pintura. Si mezclas color líquido o en pasta con alcohol (todo para uso alimentario), puedes pintar sobre pasteles cubiertos de fondant con un pincel fino.

Pistola de modelar. Utilizamos una pistola de modelar en lugar de una de fondant. Puedes usar las dos, pero la de modelar es más barata y más resistente. Se encuentra en las tiendas de manualidades.

Plato giratorio. Muy útil para recubrir pasteles elaborados con glasa real o con fondant, ya que permite acceder al pastel desde todos los ángulos. Puedes adquirirlo en una tienda para decorar pasteles, pero en Planet Cake nos gusta utilizar los platos giratorios para televisor.

Polvo Tylose. Se puede mezclar con el fondant, el mazapán o la glasa real y permite formar una pasta para moldear compacta que se seca y se vuelve fuerte. También se puede mezclar con un poco de agua para crear una cola comestible gruesa y compacta.

Polvos. Se pueden encontrar en forma de escamas, perlas, brillo y lustre. Algunos decoradores mezclan el polvo con alcohol alimentario para aplicar directamente el color. Los polvos de lustre y perla proporcionan un efecto luminoso a las flores de azúcar.

Purpurina comestible. Se puede encontrar en distintos colores y normalmente se aplica con agua o con gel para decorar.

Raspador flexible. En Planet Cake utilizamos un plástico fino como el acetato o el plástico que se utiliza en las carpetas (las que tienen separadores en su interior). Corta el plástico formando un rectángulo que sea un poco más grande que la palma de tu mano, redondea los bordes utilizando unas tijeras, desinféctalo y listo. Utilízalo para pulir y sacar brillo al fondant, te ayudará a formar bordes afilados y superficies muy lisas. Al ser flexible, lo puedes manipular para manejar el fondant de pasteles de formas complejas, aplastar las burbujas de aire y los bultos del fondant, y conseguir un acabado del fondant suave, perfecto y profesional.

Rasqueta. Es una pieza plana de metal o de plástico, aunque las mejores están hechas de acero inoxidable, con un lado recto que se utiliza para eliminar los restos de ganache de los laterales del pastel mientras se está preparando y rellenando. Se pueden encontrar en proveedores de adornos para pasteles y en Internet. Si no tienes rasqueta, puedes utilizar una regla de metal.

Rasqueta de plástico de 90º. Es una rasqueta normal con un ángulo de 90º.

Rodillos de amasar. Un rodillo pequeño es perfecto para elaborar proyectos a menor escala y extender porciones reducidas de fondant. Puedes comprar rodillos muy sofisticados en un proveedor de adornos para pasteles, pero los rodillos pequeños que son más apreciados en Planet Cake se encuentran en los juegos de cocina para niños. También utilizamos rodillos grandes para extender el fondant. Se pueden encontrar de diversos tipos: sin asas, con asas integradas, o el preferido de Planet Cake, con asas adheridas a una vara central que se encuentra en el rodillo. Los rodillos normalmente se fabrican de madera, pero también se pueden encontrar de mármol o de silicona. Elige el rodillo de amasar con el que trabajes con más comodidad.

Sirope, jarabe de azúcar o jarabe empapador. Es una mezcla elaborada con agua hirviendo y mermelada a partes iguales (véase receta en pág. 176). El sirope se extiende con un pincel sobre las superficies cortadas de los pasteles para evitar que se sequen antes de aplicar el fondant, o bien entre la cobertura de ganache y el fondant, para que se adhiera mejor el fondant. Se puede dar sabor al sirope con un poco de alcohol como el Cointreau.

RECETAS DE GLASEADOS

Ganache

El chocolate ideal para elaborar la ganache es una variedad de cobertura con un 53-63 % de cacao. En la estación fría deberás añadir un poco más de nata o reducir la cantidad de chocolate para que la ganache no quede dura. Si no encuentras chocolate de cobertura, puedes utilizar chocolate negro.

Preparación: 15 minutos
Cocción: 10 minutos
Para 1,8 kg, suficiente para cubrir cada pastel de este libro (te sobrará un poco, para algún contratiempo).

Ganache blanca

1,3 kg de chocolate blanco, troceado finamente
450 ml de nata

Ganache oscura

1,2 kg de chocolate negro, troceado finamente
600 ml de nata

1. Introduce los trozos de chocolate en un cuenco grande.
2. Calienta la nata en una cacerola hasta que empiece a hervir. Vierte la nata sobre los trozos de chocolate y remuévelo todo suavemente con una batidora de varillas hasta que la ganache quede homogénea. (No utilices una batidora eléctrica, ya que crearás demasiadas burbujas de aire).
3. Deja enfriar completamente, luego deja que se asiente toda la noche.

MÉTODO CON MICROONDAS

1. Vierte el chocolate troceado y la nata en un recipiente para microondas. Caliéntalo 1-2 minutos a temperatura máxima. Retíralo y remueve la mezcla. Vuelve a calentarlo y a removerlo después, hasta que la ganache quede homogénea.
2. Retira el recipiente del microondas, cúbrelo con film transparente y déjalo reposar 5 minutos. Sacude un poco el recipiente para que baje todo el chocolate.
3. Remueve la mezcla con una batidora de varillas hasta que quede homogénea.
4. Deja enfriar completamente, luego deja que se asiente durante toda la noche.

CONSEJOS PARA LA GANACHE

- Nosotros utilizamos ganache de chocolate blanco o negro bajo el fondant en todos los pasteles. La ganache de chocolate blanco la empleamos en los pasteles de vainilla y sabores cítricos, pero debes tener en cuenta que cuando hace calor es menos estable que la ganache de chocolate negro y no se asentará con tanta firmeza.
- Evita utilizar chocolate negro con más del 63 % de cacao. Se quema con más facilidad al calentarlo y se disgrega fácilmente. Además, resultaría demasiado amargo en contraste con el fondant, y se asentaría con mucha fuerza, pues contiene muy poca manteca de cacao.
- Utilizamos nata líquida normal, no nata de montar. Una nata con un contenido de grasa inferior (pero no baja en grasas) es mejor, puesto que no espesará al mezclarla.
- La ganache se puede conservar durante una semana en el frigorífico en un recipiente hermético. Sin embargo, comprueba siempre la fecha de caducidad de la nata que utilices.

La ganache se congela bien. Si haces mucha, puedes congelarla en pequeños recipientes y así podrás descongelar justo lo que necesites.

- La ganache siempre deba estar a temperatura ambiente antes de utilizarla.
- Si tienes que recalentarla para que se suavice un poco, ponla en un plato para microondas y caliéntala en tandas de 10 segundos a media potencia (50 %), removiendo en cada tanda, hasta conseguir la consistencia deseada.

Fondant

En Planet Cake no elaboramos nuestro propio fondant, ya que las variedades comerciales son prácticas y a menudo más fiables que las caseras. Pero si necesitas una receta, aquí tienes una, cortesía de mi amigo Greg Cleary, un gran decorador de pasteles.

Preparación: 15 minutos
Cocción: 5 minutos
Para aproximadamente 1,25 kg de fondant, suficiente para recubrir cualquiera de los pasteles que aparecen en este libro (sobrará un poco para imprevistos).

15 g de gelatina en polvo
125 ml (1/2 taza) de glucosa líquida
25 ml (5 cucharaditas) de glicerina
1 kg de azúcar glas
2 gotas de extracto de aroma (opcional)

1 Vierte la gelatina en un cuenco pequeño resistente al fuego sobre 60 ml de agua. Déjalo reposar 3 minutos o hasta que la gelatina esté esponjosa.

2 Pon el cuenco al baño María y remueve hasta que la gelatina se haya disuelto. Añade la glucosa y la glicerina y remueve todo hasta que se haya derretido. Si la mezcla tiene grumos, pásala por un colador fino.

3 Tamiza el azúcar glas sobre un cuenco grande, haz un hueco en el centro y vierte la mezcla de gelatina. Mézclalo con una cuchara de madera hasta que resulte difícil removerlo. Vuelca la mezcla sobre una superficie de trabajo, añade el extracto de aroma, si lo utilizas, y amásala con las manos secas hasta que la masa esté suave y flexible.

4 Envuélvelo con film transparente o en una bolsa con cierre zip y guárdalo en un recipiente hermético y en un lugar fresco, pero no en el frigorífico.

5 Vuelve a amasarlo antes de usarlo, añadiendo más azúcar glas tamizado si es necesario.

CONSEJOS PARA EL FONDANT

- El fondant se seca muy rápidamente, así que deberás trabajar con rapidez para evitar que se agriete y resulte difícil de manipular.
- Nunca utilices fondant demasiado seco o que se haya amasado en exceso, ya que la cobertura de tu pastel se agrietaría con mucha facilidad.
- NUNCA refrigeres el fondant cuando ya hayas recubierto con él un pastel, ya que el fondant «sudará» dentro del frigorífico. Una vez recubierto un pastel, debería guardarse en un lugar fresco (unos 20 °C).
- Nunca recubras de fondant pasteles recién sacados del frigorífico. Para lograr un acabado profesional, debes esperar que alcancen la temperatura ambiente antes de cubrirlos con fondant.
- Si no estás utilizando el fondant (ni que sea un minuto), guárdalo en una bolsa con cierre zip de buena calidad para evitar que se reseque. Es preferible guardar los restos de fondant en una bolsa de plástico con cierre, o bien envolverlo en film transparente y meterlo en un recipiente hermético. Sigue las instrucciones del fabricante sobre la manera de conservar su marca de fondant en particular. Nosotros siempre lo guardamos a temperatura ambiente.

- Si tienes las manos calientes, el fondant puede ponerse pegajoso. Procura no abusar de la harina de maíz: reseca el fondant. Refréscate las manos en agua fría antes de amasar el fondant y espolvoréalo con una pizca de harina de maíz.
- El clima afecta al fondant: la humedad lo vuelve pegajoso, y el frío lo deja duro como una piedra.
- Debes trabajar siempre el fondant en pequeñas cantidades. Cuando lo amases, apóyate sobre él: utiliza el peso de tu cuerpo para que te ayude a amasarlo. Si intentas amasar grandes cantidades, deberás hacer demasiada fuerza con tus muñecas y esto dificultará mucho la tarea.
- Amasar fondant no es como amasar un pastel; si lo golpeas con los puños, se pegará a la superficie de trabajo y será imposible manipularlo. Trata el fondant de un modo similar a la plastilina: ve doblándolo hasta que esté suave y caliente, pero que no se pegue a la superficie de trabajo.
- Para utilizar fondant para modelar, amasa 1 cucharadita de polvo Tylose con 450 g de fondant hasta conseguir una mezcla homogénea.

Sirope

Preparación: 5 minutos
Cocción: ninguna
Para alrededor de 160 ml

115 g de mermelada de albaricoque
2 cucharaditas de licor de naranja (opcional)

1 Bate la mermelada con 100 ml de agua hirviendo hasta formar una mezcla suave.
2 Cuela la mezcla con un tamiz para eliminar los grumos y añade el licor, si lo utilizas.

Crema de mantequilla italiana

Esta crema da mejor resultado si se utiliza inmediatamente. Debe tener una consistencia suave, pero lo suficientemente espesa como para mantener la forma cuando se dispensa con la boquilla. Haz la prueba pasando el dedo por encima del glaseado: debería mantener bien la forma, pero sin quedarse rígida.

Preparación: 20 minutos
Cocción: 15 minutos
Para 4 tazas, cantidad suficiente para cubrir cualquiera de los pasteles que aparecen en este libro (y sobra para imprevistos).

250 g de azúcar lustre
6 claras de huevo a temperatura ambiente
375 g de mantequilla sin sal ablandada y en trocitos del tamaño de una nuez
1 y ½ cucharaditas de esencia de vainilla

1 Vierte el azúcar en una cacerola a fuego bajo, añade 60 ml de agua caliente y remueve hasta que se disuelva el azúcar. Sube a fuego medio y llévalo a ebullición. Deja que hierva sin remover de 8 a 10 mn, o hasta que el almíbar se haya espesado ligeramente, pero sin que haya tomado color: 110 °C en un termómetro para azúcar. Retíralo del fuego y déjalo reposar un momento, hasta que deje de burbujear.
2 Mientras tanto, bate las claras en un recipiente grande con una batidora eléctrica hasta formar picos. Sigue batiendo y añade gradualmente el almíbar caliente, batiendo a velocidad máxima hasta que se mezclen. Sigue batiendo durante unos 8 o 10 minutos, o hasta que la mezcla se haya enfriado y esté a temperatura ambiente.

3 Incorpora gradualmente la mantequilla mientras bates, un trozo cada vez, hasta que se mezcle bien: el glaseado debe quedar ligero y esponjoso. Agrega también la vainilla y ya la puedes utilizar a tu gusto.

CONSEJO

La mezcla de huevos y azúcar debe dejarse enfriar hasta alcanzar la temperatura ambiente antes de añadir la mantequilla. Si la mezcla está demasiado caliente, la mantequilla se derrite y el glaseado se disgrega.

Crema de mantequilla de vainilla

Esta crema de mantequilla da mejor resultado si se utiliza inmediatamente. Debe tener una consistencia suave, pero lo suficientemente espesa como para mantener la forma cuando se usa con la boquilla. Haz la prueba pasando el dedo por encima del glaseado: debería mantener bien la forma, pero sin quedarse rígida. Para ajustar la consistencia puedes agregar un poco más de leche o de azúcar glas si es necesario.

Preparación: 10 minutos
Cocción: ninguna
Para 4 tazas, suficiente para cubrir cualquiera de los pasteles de este libro (y sobra para imprevistos).

375 g de mantequilla sin sal ablandada
840 g de baño de azúcar de repostería, tamizado
80 ml de leche
3 cucharaditas de esencia de vainilla

1 Bate la mantequilla en un cuenco con la batidora eléctrica de 5 a 6 minutos, o hasta que se vuelva blanca.
2 Agrega gradualmente el baño de azúcar mientras bates hasta formar una mezcla suave y cremosa. Rasca la mezcla que se quede pegada en las paredes del cuenco si es necesario.
3 Añade la leche y la vainilla y sigue batiendo hasta que la mezcla sea homogénea. Ya la puedes utilizar según desees.

Glasa real

Conseguir la consistencia justa de la glasa real puede ser una tarea complicada. Si quieres utilizarla con la manga pastelera, necesitarás glasa real «a punto de nieve», es decir, que cuando la levantes del cuenco con una espátula, los picos se levanten, pero las puntas caigan ligeramente, como el merengue crudo.

Preparación: 10 minutos
Cocción: ninguna
Para aproximadamente 270 g de glasa real

250-300 g de azúcar glas de repostería, tamizado
1 clara de huevo
2-4 gotas de zumo de limón o de vinagre de vino blanco

1 Bate el azúcar glas, la clara de huevo y el zumo de limón o el vinagre en un cuenco con la batidora de varillas eléctrica a velocidad media-alta 5 minutos para obtener una mezcla «a punto de nieve» (o menos si quieres que quede más firme). Si la mezcla está demasiado líquida, añade más azúcar.
2 Guárdala en un recipiente hermético y en un lugar fresco, pero no la metas en el frigorífico. Se conservará hasta 4 días.

TÉCNICAS DE GLASEADO

TEÑIR EL FONDANT

1 Medir el color

Amasa el fondant hasta que sea maleable. Mide el colorante alimentario (foto 1).

2 Añadir el color

Extiende el colorante sobre el fondant (foto 2) y, a continuación, amásalo hasta que quede distribuido uniformemente. Ponte guantes para evitar mancharte las manos.

3 + 4 Comprobar el color

Haz un corte en el fondant para comprobar si el colorante se ha mezclado uniformemente. Si todavía quedan remolinos de color, sigue amasando y vuelve a comprobarlo hasta que el color sea uniforme en todo el fondant. Si prefieres conseguir un efecto jaspeado, deja el color tal como está.

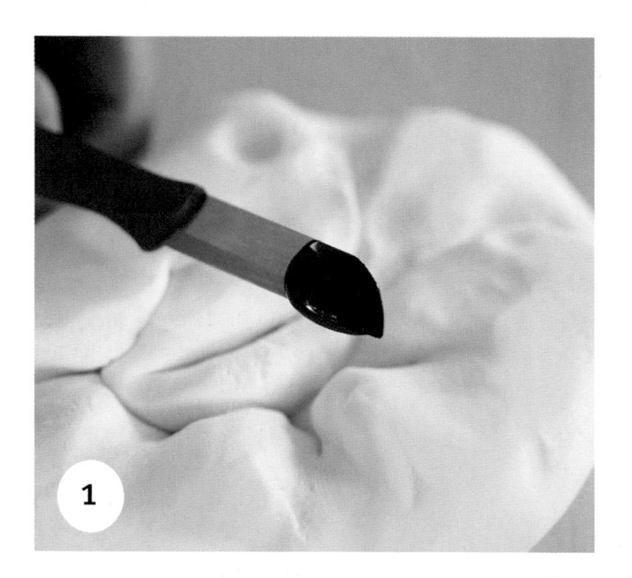

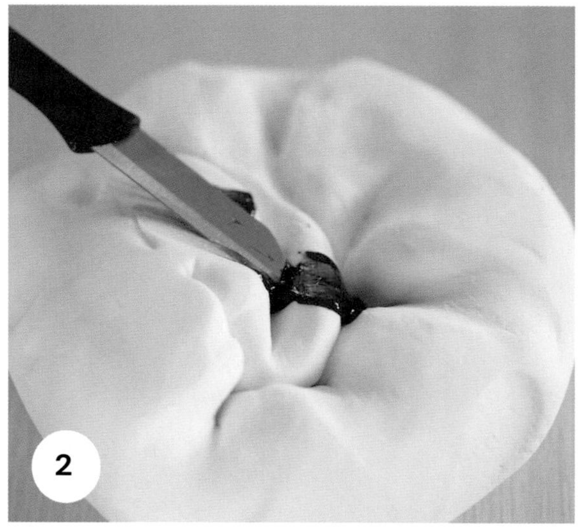

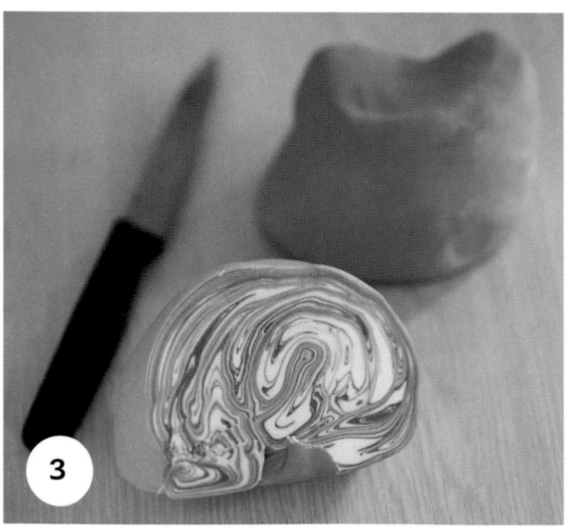

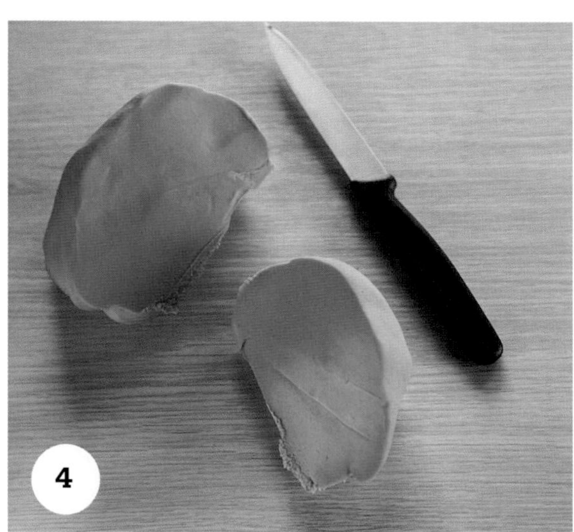

COLORES MÁS VIVOS O INTENSOS

Cuando quieras teñir el fondant de un color intenso, creando colores vivos como el negro, el marrón, el rojo, el púrpura o el azul marino, es mejor utilizar colorante en pasta que colorante líquido. Al necesitar mucha más cantidad de color, un colorante líquido hace que el fondant se quede demasiado pegajoso y no puedas trabajar con él. Aunque utilices colorante en pasta, tiñe el fondant un día antes, ya que se quedará extraordinariamente blando debido a la gran cantidad de pigmento de color y tendrías que amasarlo mucho para mezclarlo bien. Si dejas reposar el fondant durante la noche volverá a adquirir consistencia y será más fácil de manipular.

COLOR DESVAÍDO

Después de colorear el fondant, deberás proteger los colores para que no palidezcan. Los tonos rosa, púrpura y azul son especialmente susceptibles de desvaírse, incluso en un par de horas. El rosa y el malva pueden palidecer hasta convertirse prácticamente en blanco si se exponen a la luz del sol; los púrpuras se convierten en azules, y los azules en grises.

Procura proteger el fondant de la luz cubriendo tus figuritas con un paño limpio o guardándolos en una caja para pasteles.

FIGURITAS DE FONDANT DE COLOR

Una cosa importante que debes recordar al teñir fondant para figuritas es añadir tan solo una pizca de color al fondant, ya que estarás coloreando cantidades de fondant mucho más reducidas. Utiliza un palillo para añadir puntitos de color cada vez. También puedes confeccionar colores más elaborados mezclando diferentes colores para fondant. Te recomendamos que utilices una rueda de colores como guía.

PURPURINA COMESTIBLE

La purpurina comestible no tóxica se puede encontrar en tiendas de artículos de decoración de pasteles y resulta fácil de aplicar.

Pinta sobre la zona donde desees aplicar la purpurina con un pincel cubierto de agua, gel para decorar o sirope de azúcar.

Espolvorea la zona humedecida con purpurina comestible y deja que se seque.

Utilizando una brocha fina y totalmente seca, elimina el exceso de purpurina.

SATINADO (GELLING)

El gel para decorar translúcido otorga a las superficies un aspecto brillante. Puede utilizarse sobre fondant teñido, tal cual, o bien sobre rasgos como ojos o narices, para darles un aspecto brillante y «vivo».

El gel para decorar a veces viene etiquetado como jalea para decorar y está disponible en las tiendas de artículos de decoración de pasteles.

Puedes añadir pasta colorante al gel para obtener un color más fuerte. Normalmente solo lo extendemos con un pincel para pasteles o con un pincel normal.

Si deseas obtener una cobertura gruesa y uniforme, vierte el gel sobre la superficie mediante una boquilla lisa pequeña y alísalo con una espátula si es necesario.

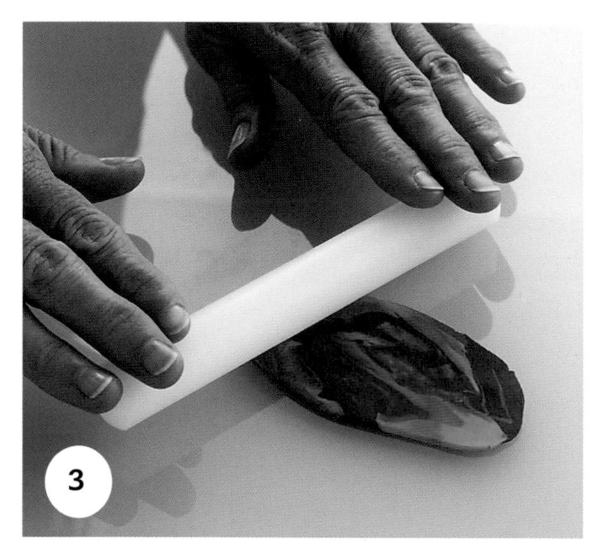

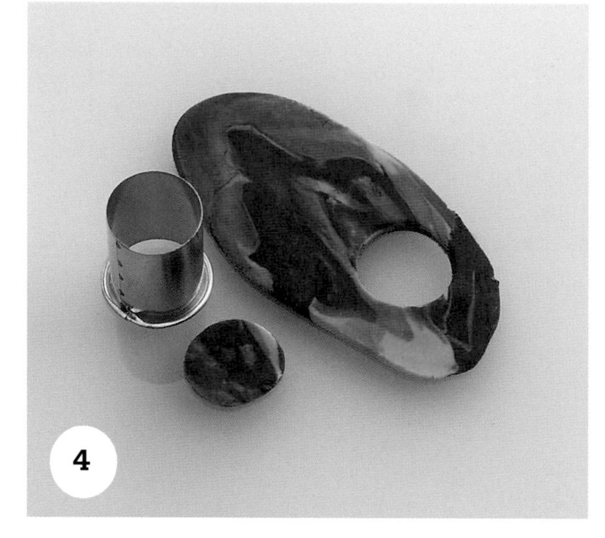

JASPEADO

El jaspeado es una técnica sencilla que crea un precioso efecto de remolinos en el fondant.

1 Elegir dos colores
Empieza con dos cantidades pequeñas de fondant de colores diferentes de tu elección. Forma con ellos una cuerda y luego retuércelas unidas entre sí (foto 1).

2 Formar una bola
Forma una bola en la palma de tus manos con las dos cuerdas de masa (foto 2). Ten cuidado de no amasarla demasiado, o los colores se fundirán formando un solo tono

3 Estirar
Aplana la bola ligeramente (foto 3). Espolvorea ligeramente la superficie de trabajo con harina de maíz y estira el fondant hasta lograr el grosor deseado.

4 Cortar el fondant
Corta formas (foto 4) de fondant y utilízalas según lo desees.

CUBRIR UNA BASE CON FONDANT

Se puede cubrir toda la base o solo la parte visible alrededor del pastel. No es necesario cubrir la base: de hecho, muchos decoradores no lo hacen.

Yo las cubro porque me gusta el acabado limpio que proporciona, y no me gusta el aspecto que presentan las bases doradas o plateadas, ya que pueden echar por tierra el efecto del pastel.

Aquí tienes cómo cubrir toda la base. Para hacerlo, resulta esencial que el pastel se asiente en la base de colocación. En el caso de los pasteles redondos o cuadrados, puedes utilizar bases prefabricadas a modo de base de colocación.

1 Extender el fondant

Extiende el fondant hasta que tenga un grosor de 3 mm y que, como mínimo, sea del mismo tamaño que la base. Coloca el fondant sobre la base (foto 1). Si es demasiado pequeño, sigue extendiéndolo directamente sobre la base hasta cubrir toda la superficie.

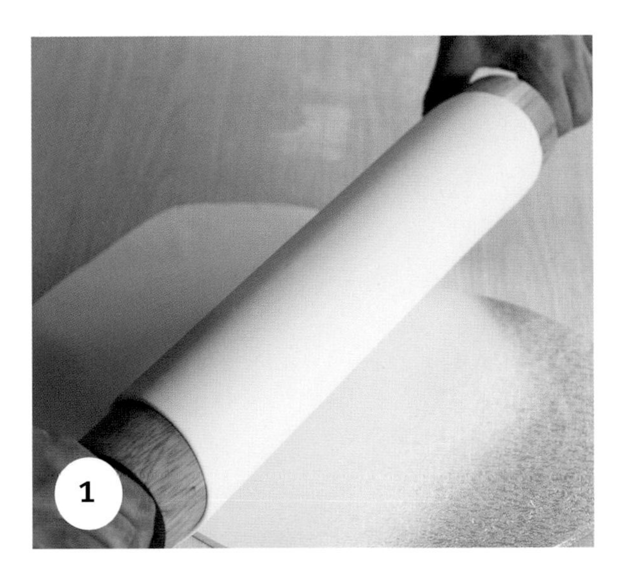

2 Pegar el fondant

Sumerge un pincel de repostería en agua, levanta delicadamente la mitad del fondant y pasa el pincel por la base. Deposita el fondant en la base (foto 2) y repite con la otra mitad.

3 Recortar el fondant

Utiliza un raspador flexible o un alisador y pásalo por la superficie para crear un acabado limpio. Recorta la mayor parte del fondant sobrante con unas tijeras. Coloca la base con fondant sobre un plato giratorio o a media altura del plato. Sujeta el alisador en un ángulo de 45° y deslízalo a lo largo del borde para cortar el fondant, y conseguirás un borde perfectamente biselado (foto 3).

Deja secar la base y a continuación coloca el papel encima, pegándolo con un poco de glasa real (pág. 33) para que se asiente en la base de colocación.

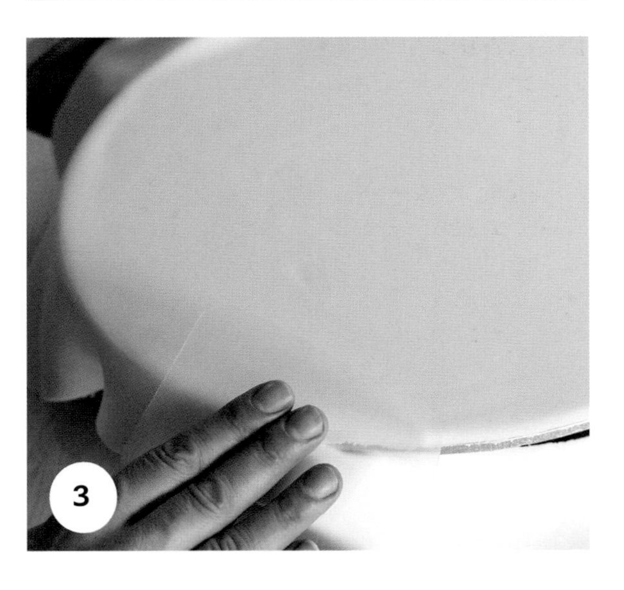

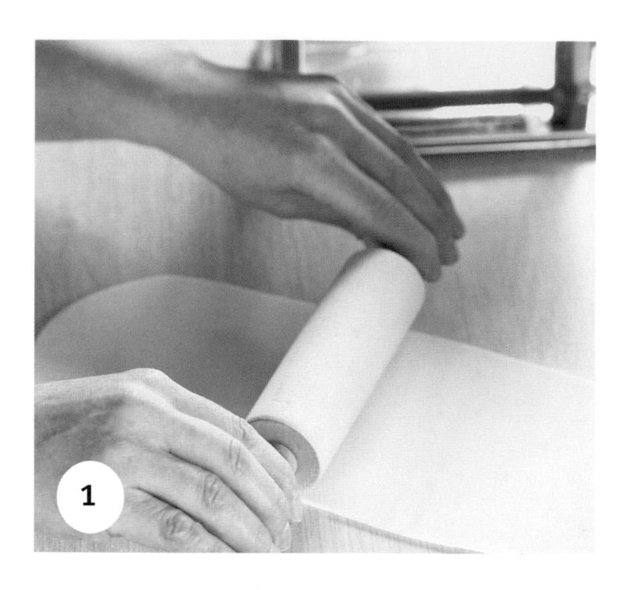

USAR UNA MÁQUINA DE PASTA PARA EXTENDER FONDANT

1 Extender primero el fondant con un rodillo de amasar

Amasa el fondant y luego extiéndelo con un pequeño rodillo de amasar (foto 1). Comprueba cuál es el ajuste de tu máquina para extender pasta o fondant que tenga un grosor de 3 mm. Ese es el grosor habitual que utilizamos para cubrir la mayoría de los pasteles.

2 Pasar el fondant a través de la máquina de pasta

Pasa el fondant a través de la máquina de pasta hasta que alcance un grosor de 3 mm, tal como lo harías si estuvieras trabajando con una pieza de pasta (foto 2).

PEGAR FONDANT

Utiliza siempre una pincelada de agua o de gel para fijar una pieza de fondant con otra, incluso aunque estés utilizando también espaguetis secos, un pincho o un alambre como soporte. El fondant está hecho de azúcar, así que se pegará fácilmente solo con agua.

Traza con un pincel una línea o da una pincelada de agua o gel donde necesites pegar el fondant. No utilices demasiada: si no has aplicado suficiente agua o gel, siempre puedes añadir un poco más, pero si pones demasiada, puede que lo empapes y lo eches a perder.

Sujeta la pieza de fondant en su lugar durante unos minutos para ver si se fija. Para fijar piezas muy pequeñas o partes del cuerpo puede resultarte útil una herramienta pequeña y puntiaguda para juntar y apretar las piezas.

También puedes utilizar una pizca de glasa real (pág. 177), pero debería ser del mismo color que el fondant sobre la que se aplicará, y usarse con moderación.

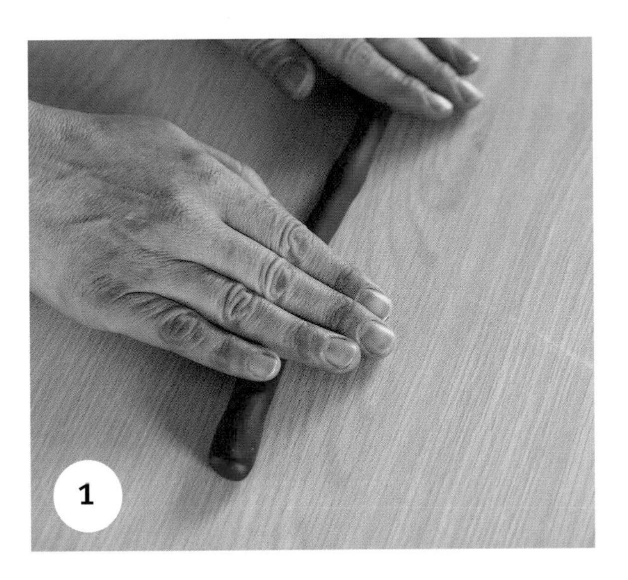

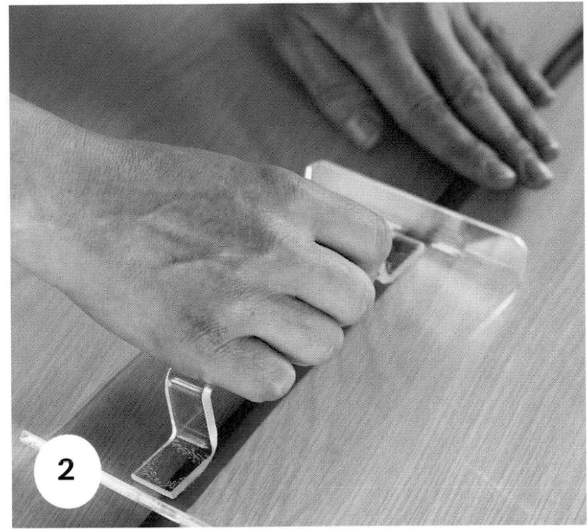

HACER UN RULO DE FONDANT

1 Enrollar el fondant con las manos

Utilizando las manos, haz rodar el fondant hasta formar un rulo (foto 1, arriba).

2 Igualar el rulo con un alisador

Con un alisador de fondant, muévelo hacia delante y atrás, tirando un poco hacia los extremos para alargarlo (foto 2). Si el fondant se desliza bajo el alisador, utiliza un pincel para trazar una línea fina de agua justo al lado, paralela al rulo y, a continuación, usa el alisador para extender el fondant a lo largo del rastro de agua. Esto hará que el fondant se quede un poco más pegajoso, lo cual ayudará a que se «agarre» y se extienda fácilmente por debajo del alisador.

Sigue enrollando y extendiendo el rulo hasta que adopte la longitud y anchura deseadas.

CALCAR UNA PLANTILLA

1 Escribir sobre un papel de hornear

Escribe la imagen que desees sobre papel de hornear utilizando un lápiz 2B. Dobla el papel y repasa la palabra por el dorso (foto 1, derecha).

2 Colocarla sobre el pastel

Coloca la plantilla boca arriba sobre el pastel y, sombreando ligeramente el papel de hornear, transfiere la imagen (foto 2).

SOLUCIÓN DE PROBLEMAS

Trabajar el fondant normalmente es muy sencillo, pero a veces pueden surgir pequeños percances. Afortunadamente, la mayoría de ellos tienen solución. En las siguientes páginas encontrarás técnicas sobre cómo solucionar los problemas más comunes.

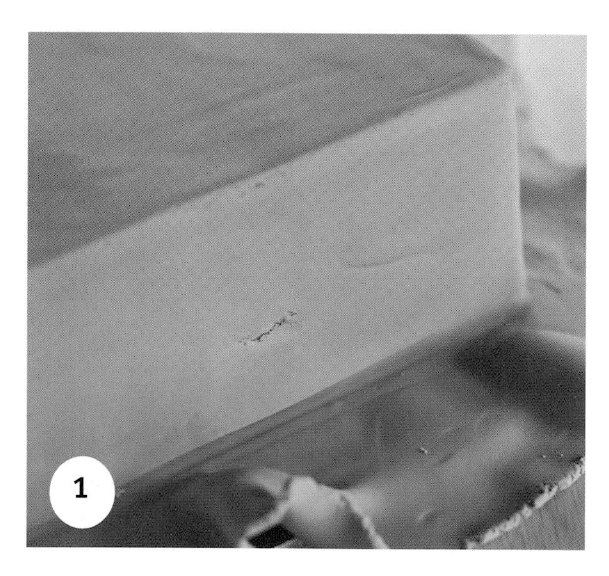

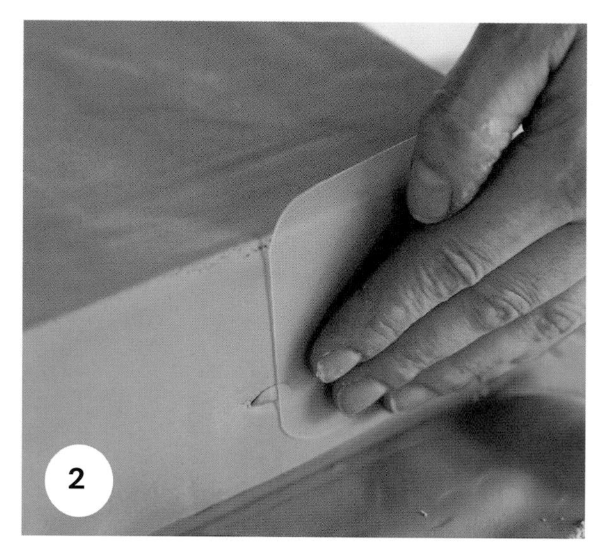

Reparar el fondant rasgado

UN AGUJERO EN EL FONDANT

Los desgarros normalmente son consecuencia de alisar y estirar el fondant con demasiada fuerza cuando se cubre un pastel (foto 1).

Alisar la zona rasgada

Mientras el fondant todavía está blando, utiliza las manos y un raspador flexible y frota el fondant hacia arriba, alrededor de la zona rasgada, para que el hueco se cierre y quede casi invisible (foto 2).

Si todavía queda un agujero, espera a que el fondant se haya secado (al día siguiente). Haz una pequeña bola de fondant fresco que tenga el mismo color que la base y colócala sobre la zona rasgada como si fuera masilla. Alísalo con un raspador flexible y deja que se seque.

Cubrir una grieta de fondant

Las grietas suelen aparecer en las esquinas o en los bordes cuando el fondant está demasiado seco.

Una grieta grande es imposible de arreglar, pero puedes cubrirla con algunos adornos, como flores de fondant: así nadie la verá.

Reparar una grieta

Mientras el fondant todavía está blando, con las manos muy calientes, masajea el fondant hacia dentro, alrededor de las grietas, cerrándolas y dándoles forma hasta que queden casi invisibles.

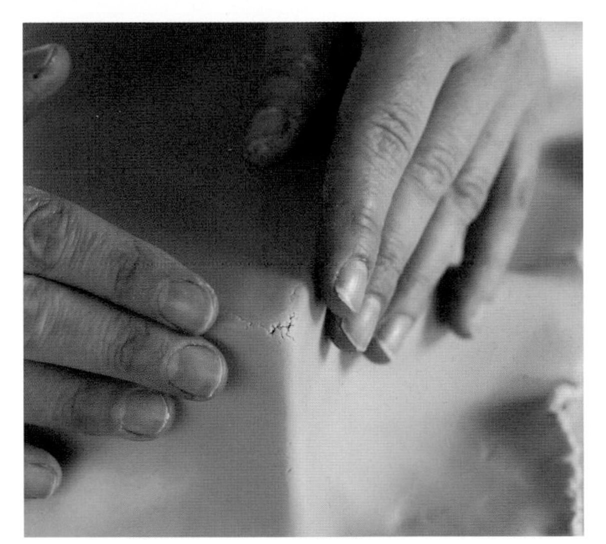

Burbujas de aire

Procura eliminar siempre las burbujas de aire que se encuentran debajo del fondant, ya que se volverán más grandes y harán que se levante.

Palpa la superficie del pastel para buscar las burbujas de aire y, a continuación, pincha suavemente con un alfiler cualquier burbuja que encuentres para que se escape el aire. Seguidamente, alisa el fondant con un raspador flexible.

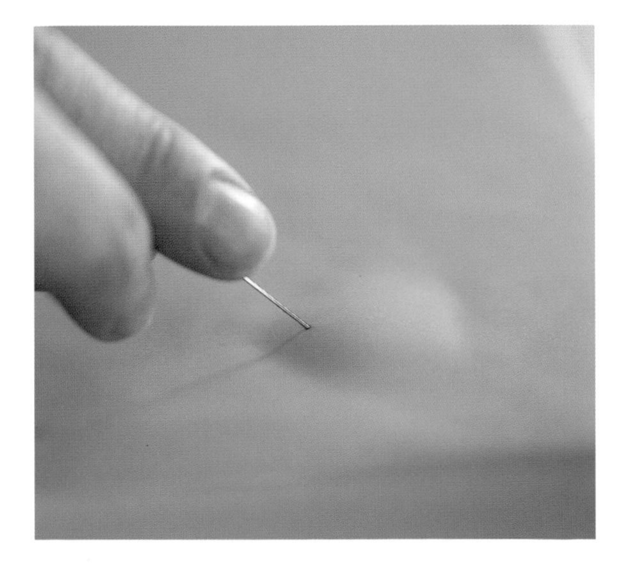

Limpiar las manchas en el fondant

MANCHA DE HARINA DE MAÍZ

1 Aplicar alcohol alimentario

Aplica alcohol alimentario sobre la mancha con un pincel suave (foto 1, abajo). El alcohol absorberá la harina de maíz.

2 Palmear para que se seque

Con un paño suave, da unos toquecitos con la mano sobre la zona para que se seque (foto 2).

MANCHAS DE CHOCOLATE

1 Lavar con agua con jabón

Utiliza un pincel blando y lava la mancha ligeramente con un poco de agua caliente con jabón.

2 Espolvorear con harina de maíz

Enjuaga el pincel y elimina el jabón del fondant con agua limpia. Seca suavemente la zona con un paño (foto 1, abajo) y, a continuación, espolvoréala ligeramente con levadura utilizando un pincel blando (foto 2, abajo).

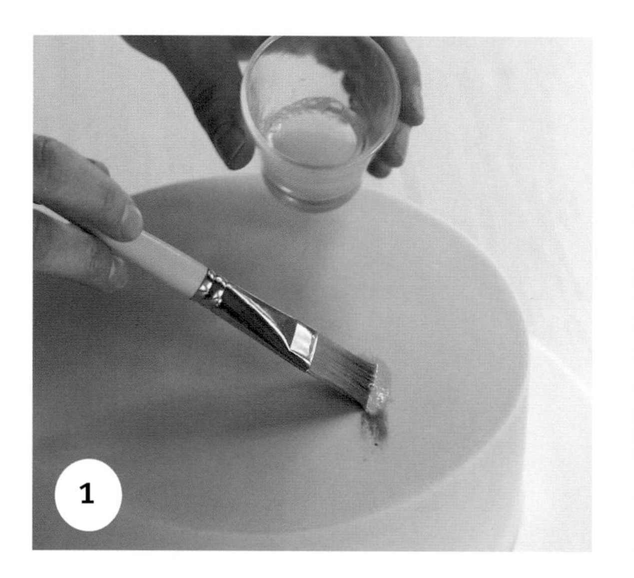

1

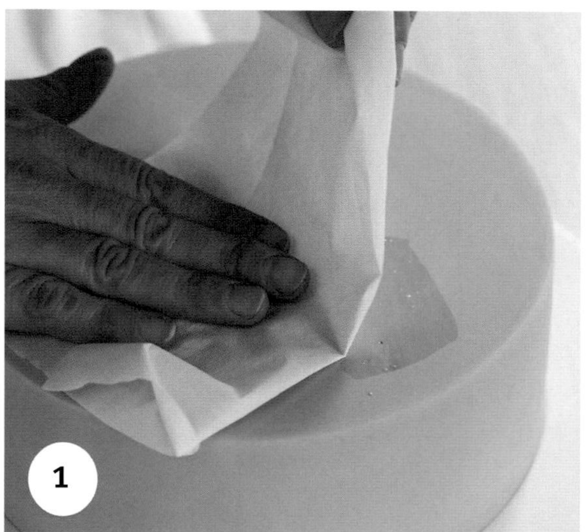

1

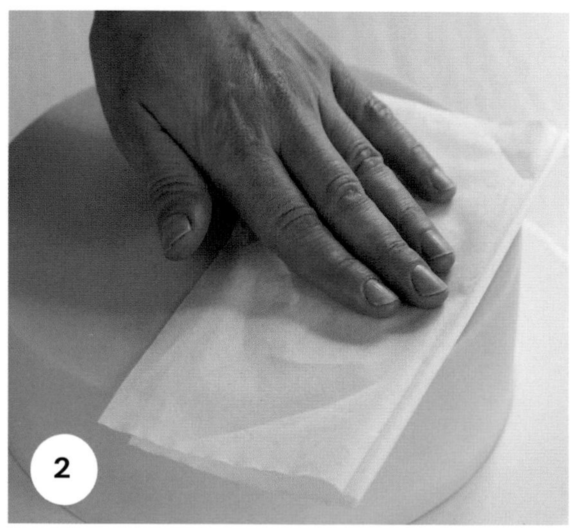

2

2

Humedad

A consecuencia de la humedad, a menudo el fondant se queda blando y pegajoso. Para solucionar esto, añade un poco de azúcar glas de pastelería tamizada al fondant y amásalo.

Fondant demasiado seco

Si tu fondant está demasiado seco y agrietado, repásalo con un pincel impregnado de agua y, a continuación, amásalo bien para que se mezcle.

Si lo prefieres, pincélalo con una pequeña cantidad de glicerina (véase el glosario de la página 171) y amásalo para que se mezcle bien.

Fondant demasiado húmedo

Si el fondant está húmedo, normalmente se debe a que se ha aplicado demasiado pigmento de color. El fondant negro, rojo y marrón muchas veces se queda «húmedo» y resulta difícil trabajar con él.

Para solucionarlo, añade una pequeña cantidad de azúcar glas de pastelería tamizado al fondant y amásalo hasta que quede menos pegajoso, pero que aún esté flexible.

ÍNDICE

Título original: Planet Cake KIDS

Provença, 101 - 08029 Barcelona
info@editorialjuventud.es
www.editorialjuventud.es
Traducción de Susana Tornero
Primera edición, junio de 2013
DL B 6347-2013
ISBN 978-84-261-3942-9
Núm. de edición de E. J.: 12.600
Printed in China

IMPORTANTE: Aquellas personas con riesgo de contraer la salmonella (ancianos, mujeres embarazadas, niños y cualquiera que padezca una enfermedad relacionada con una deficiencia en el sistema inmunológico) deberían consultar a su médico si pueden consumir huevos crudos.

GUÍA PARA EL HORNO: Es posible que los tiempos de preparación dependan del tipo de horno que se utilice. En el caso de los hornos de convección, como norma general, debes ajustar la temperatura 20 °C por debajo de la indicada en la receta.